FOI VIVANTE 90

GERTRUDE VON LE FORT

LA FEMME ÉTERNELLE

La femme dans le temps
La femme hors du temps

Nouvelle édition

Traduit de l'allemand par André BOCCON-GIBOD

Préface de Françoise MALLET-JORIS

LES ÉDITIONS DU CERF
29, Boulevard Latour-Maubourg
PARIS
1968

PRÉFACE POUR LA NOUVELLE ÉDITION

Par Françoise MALLET-JORIS

Le livre de G. von Le Fort n'est pas une nouveauté. Ni par sa date de publication, ni, semble-t-il, par son contenu, et il ne manquera de bons esprits pour s'étonner d'une réédition que rien ne justifie en apparence. Le titre seul peut prêter à sourire. Il évoque une certaine spécificité de la femme qui a longtemps servi de prétexte à la maintenir dans l'ombre, et dont elle s'efforce de s'évader. Il implique une sorte de détermination à la fois biologique et religieuse qui doit hérisser, autant que l'auteur du *Deuxième Sexe*, toutes celles qui l'ont lu avec un sentiment très justifié de délivrance. Il pourrait même prendre, mal interprété, un relent de XIXe siècle, de misogynie élégante ou de masochisme complaisant, fort irritant à nos modernes narines.

Quoi ! Gertrude von Le Fort considère comme une des composantes du mythe féminin ce qu'elle nomme elle-même « le thème du voile » ! Quoi, elle semble condamner cette femme qui lutte depuis quelques décennies pour devenir un *être particulier*, une personnalité à part entière, à demeurer dans l'ombre, à ne participer à l'action du monde que par le don, le sacrifice et l'offrande ! Elle va jusqu'à écrire que seul le sentiment maternel « rend admissible la présence de la femme en politique »,

que « la biologie nous apprend que la femme ne fait pas elle-même montre et usage des talents nécessaires pour marquer dans l'histoire » ! (Il est vrai qu'elle ajoute à cette proposition incendiaire : « mais c'est elle qui, sans qu'on la remarque, les y introduit... »). Il faut du moins reconnaître que rééditer ce livre à l'heure où la revendication féminine, un temps assoupie, semble connaître son second souffle, c'est prendre un risque, c'est créer une manière de petit scandale, et le fait que ce scandale soit ressenti démontre déjà, si besoin en était, l'intérêt que peut, que doit susciter cette réédition.

***

Au sujet d'un livre récent, bien déprimant, sur le couple, Hervé Bazin déclarait au cours d'une interview : « C'est le couple de nos jours, le couple de transition. » L'évolution du couple est essentiellement l'évolution de la femme ; l'effort de l'homme est d'adaptation et de révision des valeurs. Entre l'ancien couple patriarcal, solidement étayé par une tradition sociale et religieuse, et le couple de demain, que les sociologues les plus progressistes eux-mêmes imaginent mal, mais que l'on suppose basé sur l'épanouissement de deux personnalités plus égales et moins complémentaires, la distance à franchir est grande encore, tant au point de vue individuel qu'au point de vue social. La femme surtout en souffre, parfois jusqu'au déchirement, jusqu'à des désarrois en apparence incohérents. L'évolution est loin d'être un fait acquis, elle est même loin d'être entrevue.

Deux faits contradictoires ; une jeune femme de 30 ans, journaliste, un enfant, un mari auquel elle est attachée, envisage pourtant de quitter son mari, de vivre seule, sans autre raison qu'un malaise qui va grandissant, qu'une véritable angoisse de ne pouvoir, dit-elle avec une certaine naïveté « s'accomplir »,

« voir sa personnalité se développer », une crainte qui tourne à l'obsession d'être « étouffée » non tant par des tâches ménagères assez réduites que par un certain cadre, une atmosphère sociale et conjugale où elle ne se sent pas insérée. Une autre, au contraire, après de longues et difficiles études abandonne soudain un métier lucratif et intéressant pour s'enfermer chez elle, se consacrer à ses enfants, se jeter dans une orgie de cuisine et de ménage, brûlant ce qu'elle a adoré et se déclarant avec agressivité « beaucoup plus heureuse », alors que son jeune mari, sur lequel retombe brusquement toutes les responsabilités « du dehors », et un rôle patriarcal auquel il n'était pas préparé, s'affole. Deux réactions en apparence diamétralement opposées, en réalité trahissent le même désarroi devant une situation ou la femme ne peut plus s'identifier à l'ancien mythe et s'épouvante d'avoir à en construire un nouveau. En réalité, plus encore que le couple, la femme est aujourd'hui, avec tous les possibles et tous les dangers que cela comporte, une femme de transition.

***

C'est à cette femme que le livre de G. von Le Fort apporte une dimension souvent perdue, c'est pour cette femme que cet essai poétique, bref et dense, peut être d'une brûlante actualité.

On s'est penché beaucoup plus, ces dernières années, sur les conditions de vie, de travail, de la femme, que sur l'être de la femme. Décréter que le social, que l'historique, l'ont entièrement façonné, en sont entièrement responsables, est limiter singulièrement le problème, et donc le déformer. De cette déformation, de cette limitation, G. von Le Fort n'est pas entièrement innocente. Quand elle déclare considérer le mouvement féministe comme un mouvement spirituel plutôt que matériel, quand elle avoue considérer la revendication de l'Esprit comme essentiellement supérieure à la revendication des conditions matérielles dans lesquelles l'Esprit peut trouver son épanouissement, il m'apparaît qu'elle tombe dans le travers que l'on pourrait reprocher en sens inverse à toutes les plus brillantes championnes du féminisme moderne, ou presque. Du moins leur est-elle complémentaire. Du moins a-t-elle une conscience lucide des limitations de son propos, ce qu'elle exprime fort bien dans une introduction courageuse et claire. On ne saurait en dire autant de beaucoup d'ouvrages récents où, à force de vouloir faire la part (fort réelle) de ce que la société et l'histoire ont fait de la femme, on finit par en faire un pur produit de l'événement, un être privé de libre arbitre et dont on pourrait se demander, à l'instar de certains théologiens du Moyen Age, si elle a une âme.

*
**

Tout le livre de G. von le Fort est plein d'une pure et brûlante affirmation de cette vérité trop négligée : la femme a une âme, elle a une spécificité, elle a une *vocation.*

Cette vocation, G. von Le Fort va essayer de l'analyser, mieux, de la dépeindre. Elle se servira pour cela du symbole, langage séculaire auquel les découvertes de la psychanalyse rendent ses résonances profondes ; de l'intuition poétique, à travers les personnages de femmes tirés souvent de romans féminins ; de l'intuition religieuse enfin, car le rôle de la femme et sa vocation, quand même non coulés dans une forme religieuse déterminée, le sont par essence et, pourrait-on dire, par nature.

Par sa physiologie même, la femme a en effet un tout autre vécu de la notion de temps que l'homme. Par ses cycles réguliers, elle le mesure et en ressent la précarité ; par ses maternités elle le prolonge et le domine ; par la virginité assumée, elle le nie. Sans cesse confrontée avec sa physiologie, son lien avec la nature, elle ne peut le refuser sans se refuser elle-même, elle ne peut l'oublier sans être sans cesse rappelée à l'ordre. Par là-même, elle est moins que l'homme réduite à (ou concentrée dans, comme l'on préfère) sa personnalité propre. Consciente sur le plan naturel de faire partie d'un tout plus vaste qu'elle-même, consciente d'une collaboration voulue ou non avec la vie au plan premier, elle est déjà préparée à dépasser cette collaboration première en la transposant sur le plan de l'esprit. Ce n'est pas sans raison profonde que H.-Ch. Desroches notait, à propos de ce livre, la « complicité entre l'intuition féminine et l'intuition religieuse » et que G. von Le Fort elle-même prenait comme exergue à son essai ce mot si profond de L. Bloy : « Plus une femme est sainte, plus elle est femme. » L'ironie dont certains entourent bien des formes de la dévotion féminine ne s'appuye-t-elle pas sur cette notion, qu'obéissant à la foi, la femme obéit aussi, tout simplement, à sa nature propre ? Mais qu'est-ce que cela prouve, sinon que la dévaluation relative des valeurs de foi, à notre époque, s'accompagne aussi d'une dévaluation des valeurs de nature ?

De cette double dévaluation, la femme est en grande partie responsable. Elle en est ausi victime, car foi et nature dévaluées, la notion même de femme est dévaluée. Mais il est un aspect nécessaire et transitoire à la foi à cet effondrement. Trop souvent la notion mythique de la femme-mère, de la femme réceptacle de valeurs éternelles sur ce double plan naturel et spirituel, a servi de prétexte à son aliénation. Ces valeurs minées ou en voie d'évolution, ne reste à la femme que l'aliénation toute pure. Seuls des caractères bien trempés, des âmes emplies de grâce, sont capables d'offrir ce qui leur est par force enlevé. Aux autres, reste la revendication, et si elle ne peut être considérée comme un but, elle est du moins un chemin. C'est comme telle qu'il convient de la considérer.

*
**

Comment celle qui n'est pas peut-elle donner ? Comment celle qui n'a pas peut-elle sacrifier ? Il faut avant tout qu'elle reconquière un être et un avoir, avant de se préoccuper de ce qu'elle en fera. G. von Le Fort n'est pas à l'arrière-garde de ce grand mouvement de revendication féminine ; elle est à l'avant, elle évoque le problème qui ne se pose pas encore, mais qui se posera : celui de la vocation profonde de la femme, une fois qu'elle aura reconquis sa féminité toute entière. Le paradoxe d'une civilisation où beaucoup d'avantages sont concédés à la maternité, cependant que par la mode, le style de vie, la presse, le respect vis-à-vis de la fonction de mère s'affaiblit (on pourrait faire la même remarque en ce qui concerne la vieillesse, par exemple) nous prouve bien que cette société elle-même dans laquelle nous vivons est essentiellement de transition. Une question qui se pose, comme celle de la limitation des naissances, peut et doit mener à une maternité consciente et plus intensément vécue ; dans l'immédiat, elle n'aboutit qu'à une dévaluation de cette image de la femme, la plus mythique comme la plus biologiquement enracinée. G. von Le Fort ne nous parle pas de l'immédiat. Au mythe perdu succédera le mythe retrouvé : elle nous le fait pressentir. Elle donne un sens aux luttes du moment. Mais elle ne nous laisse pas oublier qu'elles seront, ces luttes et ces conquêtes, sans cesse à recommencer sur le plan de l'Esprit.

*
**

Rien de plus éclairant à cet égard que les pages admirables qu'elle consacre à la virginité. Vue sous l'angle de la nature, la femme vierge n'existe biologiquement pas. La femme stérile en certains temps et en certains lieux fut, est encore considérée comme maudite. Mais, nous dit superbement G. von Le Fort, « ... cette existence qui paraît vaine est peut-être la seule où la valeur de la personne puisse être manifestée en son fond... Le sens suprême et transcendant de la personne humaine ne resplendit qu'au prix de l'abstention complète de toute action efficace visible... » Ici notre auteur dépasse même le problème de la condition et de la vocation féminines, et rencontre celui de la sainteté. Mais elle nous fait éprouver d'autant plus profondément que si l'homme, en se fondant dans l'Esprit, en abandonnant son être particulier au profit d'une entité plus large, s'accomplit comme saint, la femme, dans ce même mouvement de passage du particulier au général, reproduisant dans le domaine spirituel un mouvement qui lui est spontané dans le domaine cosmique, s'accomplit comme femme.

Ainsi par un mouvement sans cesse ascendant, élargi, de la femme à son mythe, nous passons du mythe aux valeurs féminines de l'Univers. Valeurs différentes des valeurs viriles (cette différence ne saurait se nier sans un appauvrissement lamentable de la Création même) mais complémentaires, mais indispensables. « Toutes les époques vraiment florissantes de la culture se sont appuyées sur les forces issues de la double polarité de l'être... L'absence de l'une des deux parts de la réalité provoque toujours — conséquence fort importante — une altération dans l'image de l'autre. » Et G. von Le Fort en arrive ainsi à envisager ce que devra être non seulement la femme, mais le couple de l'avenir. Les valeurs naturelles, procréation, protection matérielle apportée par l'homme, présence matérielle de la femme au foyer, si elles s'estompent, ne doivent le faire que pour céder la place à des valeurs plus hautes. La maternité peut être spirituelle ; le fruit et la progéniture du couple peuvent être spirituels. A ce titre, les unions poétiques, mystiques, comme les couples Holderlin-

Diotima, Béatrice-Dante, Michel-Ange et Vittoria Colonna, voire saint François et sainte Claire, saint Benoît et sainte Scolastique, doivent être considérés comme aussi représentatifs de cette complémentarité des deux principes que des couples charnellement unis. Le couple de transition serait alors celui qui, perdue cette première et harmonieuse complémentarité, s'affronte au lieu de s'unir, se contredit au lieu de se compléter : Robert et Clara Schumann par exemple. C'est sous un autre aspect et par la spiritualité que le couple de l'avenir doit redevenir complémentaire. L'un et l'autre pourront se redire alors, comme Michel-Ange à Vittoria Colonna : « Quand je suis à toi, alors enfin je suis entièrement à moi. »

On voit à quel point G. von Le Fort s'avance dans l'avenir, et quelle hardiesse dans une démarche qui pourrait au premier abord paraître extérieure à nos préoccupations d'aujourd'hui. Cet avenir, il lui apparaît ménager à la femme une place importante, toute sa place. Qu'elle lutte pour l'acquérir, la conserver, rien n'est plus légitime. Qu'elle prenne conscience de ce que représente cette place, qu'elle se prépare à remplir celle-là et non une autre, en est le complément indispensable. C'est sur ce plan que le livre de G. von Le Fort lui sera lumineux.

Françoise MALLET-JORIS.

INTRODUCTION

Par H. Ch. DESROCHES

Plus une femme est sainte,
plus elle est femme.

LÉON BLOY.

Virilité et féminisme.

Dans un procès intenté périodiquement par l'humanisme profane, la conscience chrétienne s'est vu accusée d'avoir efféminé la civilisation.

C'était l'accusation de Celse. C'était l'accusation de Machiavel. Ce fut l'accusation de Feuerbach, et après lui, depuis un siècle, et dans des directions d'ailleurs divergentes, la philosophie allemande — ligne nietzschéenne, ligne marxiste — s'est distinguée par la virulence d'une attaque qui prenait de front aussi bien les valeurs féminines que les valeurs chrétiennes. Leur humanisme veut être et est avant tout un virilisme.

⁂

Le *Zarathoustra* de Nietzsche [1], en même temps qu'il enseignait aux hommes « une nouvelle fierté : ne plus cacher sa tête dans le sable des choses

1. FR. NIETZSCHE : *Ainsi parlait Zarathoustra,* trad. par Henri Albert, Paris, Mercure de France, 1901.

célestes, mais la porter fièrement, une tête terrestre qui crée le sens de la terre ! » (p. 43), en même temps qu'il initiait l'homme à l'exaltante virilité, fixait à la femme sa raison d'être dans cette vision nouvelle.

« Le bonheur de l'homme est : je veux ; le bonheur de la femme est : il veut » (p. 92).

« L'homme véritable veut deux choses : le danger et le jeu. C'est pourquoi il veut la femme, le jouet le plus dangereux. L'homme doit être élevé pour la guerre, et la femme pour le délassement du guerrier : tout le reste est folie » (p. 91).

Jeu méprisable ou jeu sublime ? Les déceptions de sa vie et l'essor de sa pensée sollicitent Nietzsche dans l'un et l'autre sens. D'une part, en effet, ce jeu, dont la femme sera la partenaire, se situe en deçà de l'humain :

« Si tu es un esclave tu ne peux pas être un ami. Si tu es un tyran tu ne peux pas avoir d'amis. Pendant trop longtemps, un esclave et un tyran étaient cachés dans la femme. C'est pourquoi la femme n'est pas encore capable d'amitié : elle ne connaît que l'amour » (p. 79).

Et pourtant, d'autre part, dans ce même jeu, la patiente lucidité de Nietzsche discerne ce qui déborde l'homme et le soulève vers les possibilités du sur-homme :

« Mieux que l'homme, la femme comprend les enfants, mais l'homme est plus enfant que la femme. Dans tout homme véritable se cache un enfant : un enfant qui veut jouer. Allons, femmes, découvrez-moi l'enfant dans l'homme ! Que la femme soit un jouet, pur et menu, pareil au diamant, rayonnant des vertus d'un monde qui n'est pas encore ! Que l'éclat d'une étoile resplendisse dans votre amour ! Que votre espoir dise : « Oh ! que je mette au monde le Surhumain ! » (p. 91).

*
**

Tout autre la ligne de pensée marxiste. Faut-il rappeler les fameux textes d'Engels, ceux de Boukharine et Preobrajensky, le livre si copieux et si discutable d'Auguste Bebel. Cette ligne est nette : répudiation de l'au-delà, ambition farouche de nourritures terrestres, culte démiurgique de la force humaine et de sa maîtrise sur la nature. Là aussi, l'homme est fait pour la guerre. Une guerre immense menée par une humanité coordonnée et solidaire contre la matière qui résiste et peu à peu se rend. Une guerre menée par tous, au profit de tous. L'homme est fait pour la guerre. *La femme, elle, est faite pour être son compagnon de combat.* Le progrès technique et la collectivisation des tâches la délivreront du cercle domestique et elle sera mobilisée elle-même sur le front de la production.

De cette vision, on a surtout retenu le côté licencieux : les déchaînements de l'union libre, la théorie du verre d'eau. Et il est assurément difficile d'affirmer que ce côté n'existe pas, au moins comme mythe. On a moins remarqué qu'il était l'envers d'un côté proprement épique, dont l'ascétisme austère confère une pure grandeur à certaines scènes d'un roman comme celui d'Ostrovski [2] regardé par le marxisme comme un livre d'élection. Pas de commune mesure entre l'amour passionnel et la camaraderie de combat. Pavel Kortchaguine peut s'allonger dans le train sur la couchette auprès de sa compagne de mission, Rita Oustinovitch :

« — Camarade Kortchaguine, laissez tomber les conventions bourgeoises et venez vous reposer près de moi.

« Avec ravissement, il se coucha, détendit ses jambes endolories.

2. Nicolas Ostrovski : *Et l'acier fut trempé.* Éditions « Hier et Aujourd'hui », 1945.

« — Nous avons un boulot monstre, demain. Dors, coquin. Et le bras confiant de Rita l'enlaça, une mèche frôla sa joue. Pour Pavel, *Oustinovitch était sacrée. Son ami, son compagnon de lutte, son politrouk.* Mais que faire si c'était tout de même une femme ? Et une belle fille au surplus ! Il s'en était bien rendu compte sur le pont... Alors ce souffle chaud l'inquiétait... *Un effort de volonté et il maîtrisa son désir* » (p. 187).

⁂

Mais précisément, chez Marx comme chez Nietzsche, la civilisation entr'aperçue est une civilisation proprement masculine : les valeurs féminines doivent s'y intégrer vaille que vaille, coûte que coûte. Ici et là, c'est la virilité qui compte. Le destin de la femme c'est d'en être, ici, l'instrument et, là, le décalque. La femme n'est pas le lieu de l'abandon, ou si elle l'est, c'est ou bien par délassement, ou bien par une faute. Au contraire, son jeu est de s'assimiler à l'homme, ou bien comme la partenaire de sa plus haute fantaisie, ou bien comme la camarade de son travail le plus lancinant. Le monde féminin trouve sa justification et sa libération en accédant de front ou par la bande au monde viril.

⁂

Ces lignes de pensée cherchent toutes comment l'humanité deviendra plus pleinement humaine en devenant moins féminine. Tout autre la piste sur laquelle la conscience chrétienne nous semble devoir s'engager. Il faut chercher *comment en devenant plus féminine la civilisation deviendra plus humaine.*

Il existe assurément une ligne virile du développement humain : *Deviens celui que tu es.* C'est le pôle positif de l'humanisme.

Mais il existe aussi une ligne féminine de ce même développement et sa formule serait celle qui a été donnée par le Seigneur à Catherine de Sienne : *Tu es celle qui n'est pas.* C'est le pôle négatif de l'humanisme.

Et s'il fallait trouver à cet humanisme une formule intégrale, il faudrait la demander sans doute au fameux dilemme d'Hamlet : *To be or not to be, that is the question.* Être ou n'être pas, telle est la question.

Et c'est dans cette dialectique que l'humanisme, dialectiquement, s'accomplit.

***

De telles propositions ne peuvent que paraître paradoxales et théoriques. L'ouvrage de Gertrud von Le Fort les rendra non seulement plausibles, mais palpables. Cette disciple allemande de Claudel situe le débat sur les hauteurs du lyrisme et de la symbolique chrétienne. N'allons point croire, pour autant, que de somptueuses abstractions nous y font perdre de vue la réalité concrète. La profusion de témoignages et de références de tous ordres, théologique, philosophique, littéraire, historique, apporte indicutablement au lecteur averti la sensation que si ces pages sont l'expression d'une Idée, cette idée s'élève peu à peu comme un grand arbre tandis que ses racines fouillent imperceptiblement, mais impitoyablement, la réalité humaine où elles empruntent de quoi nourrir là-haut l'efflorescence de son symbolisme.

Pour la plupart des lecteurs, la difficulté résidera ailleurs. Elle sera précisément de découvrir l'idée unifiante qui harmonise l'opulence des aperçus. L'ouvrage de Gertrud von Le Ford — et ceci est vrai particulièrement du texte allemand — est en effet beaucoup plus proche de l'ordre musical que de l'ordre littéraire. Dans la préface aux *Hymnes à l'Église*[3] Claudel notait : « Les grands vers de Gertrud von Le Fort accourent du fond de l'horizon comme des vagues que le vent du nord pousse vers nous avec violence et majesté l'une derrière l'autre. » Dans *La Femme Éternelle,* les propositions semblent elles aussi accourir du fond de l'horizon, liées les unes aux autres par un lien liquide, et tour à tour se retirer, se recouvrir, s'enchevêtrer. Leur fluidité déconcerte la raison raisonnante. Elles demandent autre chose : quelque chose en effet comme le regard désarmé par le jeu des vagues, ou l'obéissance de l'ouïe au progrès des thèmes dans un ensemble symphonique.

Le livre se soutient par une armature assez frêle. Le plan est tout entier contenu dans le titre : Die ewige Frau, Die Frau in der Zeit, Die zeitlose Frau. *La Femme Éternelle, La Femme dans le Temps, La Femme hors du Temps.*

La Femme dans le Temps, c'est d'une part la Vierge et d'autre part l'Épouse. *La Femme hors du Temps,* c'est la Mère : « Sous la figure de la Vierge, la femme se dresse isolée en face du temps ; sous celle de l'épouse, elle partage le temps avec l'homme qui l'assiste ; sous la figure de la Mère, elle dépasse le temps ».

Précisons : ces trois voies sont distinctes : « Chacun des trois types immuables de la vie féminine, la vierge, l'épouse, la mère, comporte en lui l'accomplissement total du destin féminin, mais chacun d'eux précisément en réalise un type original » (p. 54).

Mais les types n'en sont pas moins contigus : « La vierge et la mère (...) forment dans le paysage grandiose (...) comme les deux cimes de la montagne entre lesquelles s'étend comme une profonde, large et fertile vallée, le royaume immense de l'épouse »

3. *La Vie Intellectuelle,* 1934, tome XXXII, p. 132.

(p. 53). Or non seulement l'épouse est d'autant plus épouse qu'elle devient mère, mais, en un certain sens, l'épouse est aussi d'autant plus épouse qu'elle reste vierge : « Par un côté de son être l'épouse est la mère de demain, par un autre elle garde, non pas certes au sens physiologique, mais au sens spirituel, un caractère virginal (...). Le peuple le sait bien, lui qui qualifie de « noces d'argent » les jubilés de mariage (...). Par rapport à l'homme qui l'aime, l'épouse reste toute sa vie la fiancée ; toute sa vie le jour des noces se renouvelle » (p. 55).

A la limite, cette osmose entre les trois grands types féminins cesse d'être symbolique et partielle pour devenir réelle et totale. Les trois grandes avenues ouvertes devant la Femme deviennent convergentes et se croisent sur la vocation de la *Femme Éternelle*, celle qui est à la fois : Vierge, Épouse et Mère : la Vierge-Mère, Épouse de l'Esprit-Saint, Marie, mère de Jésus.

Les thèmes féminins.

Le fil directeur qui court à travers tout ce déploiement symphonique, c'est l'affirmation et la réaffirmation inlassable de ce que justement Gertrud von Le Fort nomme les thèmes féminins : le thème de la coopération et le thème du voile.

Un rapprochement s'impose ici avec un texte de Claudel : *La Légende de Prâkriti*, cette fantastique évocation de la semaine créatrice, à partir des premiers versets de la Genèse [4].

4. Paul CLAUDEL : *Figures et Paraboles*, pp. 105 et suiv., Paris, Gallimard, 1936, paru antérieurement dans la *N. R. F.*

Paul PETIT a été le premier à attirer l'attention sur ce rapprochement et en a fourni les éléments dans une note courte et substantielle de *La Vie Intellectuelle* : « Hommage à Claudel », 1935, t. XXXVII.

Dieu n'est pas seul à créer le monde. Il le crée par un intermédiaire, et *cet intermédiaire est une femme.* Cet être féminin, dont la verve claudélienne fait tour à tour un démiurge de la cuisine ou de la confection, de la trituration matérielle et de la perfection artistique, cette puissance d'invention et de fantaisie, d'entêtement et de caprice, à qui le Créateur passe ses commandes, cette plasticité intuitive devant les suggestions du Tout-Puissant, tout cela est Prâkriti. Tout au long du cheminement qui va de l'Aride à l'Homme, Dieu ne crée pas tout seul :

« De toutes choses, la raison d'être étant de servir Dieu, Dieu miséricordieusement a consenti à se servir d'elles. Elles existent, dès lors elles ne sont pas pour lui comme si elles n'étaient pas. Il les admet à travailler, sur ses indications, à la réalisation ultérieure de ses plans, au moyen de la matière et des instruments qu'il a placés à leur disposition. Il commande et il demande [5]. »

A chaque commande, à chaque demande, s'égrène, sur le cours de la création, quelque chose ou quelqu'un qui est une réponse : Oui. *Ce oui, à la proposition créatrice, c'est Prâkriti, l'ancêtre fabuleuse de celle qui un jour répondra oui à la proposition rédemptrice.* Oui, qu'il me soit fait selon votre parole : la Vierge Marie, Celle qui est par excellence et réellement la Femme Éternelle, *Die ewige Frau.*

La présence dans l'écheveau cosmique de cette réalité plastique et fidèle, hospitalité pure et pure collaboration, tel est le thème féminin. Le Fiat passif d'un être tout accueil qui fait écho, un écho indispensable et attendu au Fiat actif du créateur.

L'idée fondamentale de Gertrud von Le Fort est bien là : « Tout ce qui est créé ne peut être que conçu. »

5. Paul Claudel, *Figures et Paraboles*, p. 112.

*
**

Être soi-même, par soi-même, pour soi-même : tel est le sens de la revendication à la virilité.

Gertrud von Le Fort décèle ce que cette revendication peut présenter d'équivoque dès lors qu'on la réintègre dans le climat chrétien. Seul Dieu possède cette autonomie dans l'être. L'homme ne peut qu'y participer par la grâce. « La croyance dans le salut par soi-même comme foi créatrice est la folie proprement masculine de notre siècle sécularisé, elle est en même temps l'explication de tous ses échecs. La créature n'est jamais rédemptrice. Tout ce qui est créé ne peut être que conçu (...). La grâce divine ne nous fait jamais défaut, mais aujourd'hui la créature semble de plus en plus se refuser à collaborer avec elle » (pp. 23-24).

L'adoration, l'amour, la mort, ces grands actes suprêmement humains ont au contraire pour formule : *Être un autre, par un autre, pour un autre.* C'est la formule même de la grâce : « La grâce n'est pas la faculté de développer ses propres facultés, mais c'est l'anéantissement de la personne pour devenir l'instrument du Très-Haut » (p. 48). Telle est cette dimension fondamentale de la créature. Par définition elle est dédiée au Créateur. Elle n'agit qu'actionnée par lui. Elle n'est elle-même qu'*avec* lui.

Or si l'être humain est ainsi bâti sur cette double formule, et si la première est le privilège de l'homme, la seconde est le secret de la femme. Si « chaque fois qu'on tend l'oreille vers la voix des siècles, on perçoit la voix de l'homme », la femme apparaît « comme la plénitude du silence qui accompagne et soutient la voix de l'homme » (p. 28).

« L'homme incarne la valeur éternelle de l'instant, la femme l'infini de la suite des races. L'homme est le rocher sur lequel repose le temps. La femme est le fleuve qui le fait progresser. Le roc a une forme arrêtée. Le fleuve est fluide. La personnalité appartient à la femme » (p. 30). « Car si le monde est bien mû par la force virile, il ne peut être fécondé au sens profond du terme que sous le signe de la femme » (p. 24).

Il appartient à l'homme de façonner le monde. Mais il appartient à la femme d'être façonnée par Dieu. Pour autant, il y a comme une complicité entre l'intuition féminine et l'intuition religieuse : « On affirme ici que la femme selon son symbole est spécialement destinée aux valeurs religieuses » (p. 2). Entre elle et Dieu il y a un pacte. Elle est celle qui écoute et qui consent. Elle a en elle de quoi prononcer « l'aveu de sa propre relativité, de quoi s'effacer jusqu'au dévouement sans conditions, de quoi coïncider avec l'offrande à l'état pur : « Dire que l'être de la femme, que toute son essence sont voués à s'exprimer en des actes d'offrande ne suffit pas ; il faut encore dire qu'ils coïncident avec la faculté d'offrande de l'univers » (p. 17). C'est pourquoi son symbole est le voile : « Le voile est le symbole de la féminité : toutes les grandes circonstances de la vie féminine nous montrent la figure de la femme sous un voile » (p. 12). « Tous les premiers rôles du monde féminin nous apparaissent la tête voilée : l'épouse le jour de ses noces, la religieuse, la veuve portent le même symbole » (p. 20).

⁂

Que l'humanité reprenne vie et force en reprenant contact avec ses sources, c'est là une vieille idée humaine : c'est elle qui nourrit la légende d'Antée. C'est elle qui inspire les vieux poèmes grecs à la Terre mère. C'est elle qui, dans les temps modernes, illumine la confiance messianique d'un Bakounine ou d'un Marx dans le prolétariat révolutionnaire. Ce qu'il y a de vrai dans chacune de ces applications ne supprime pas, mais fera comprendre par analogie et par extension ce qu'il y a d'authentique dans la perspective de Gertrud von Le Fort. L'homme ne prend pas seulement source dans la matière, mais dans l'esprit ; dans la terre, mais dans le ciel. Dans la démonstration de cet ouvrage, la féminité c'est justement cette ancre par laquelle se suspend au ciel non seulement le monde de l'âme, mais aussi le monde humain et même en un sens le monde tout entier.

Ainsi sa portée est *métaphysique* : c'est-à-dire qu'il est essentiel à la féminité d'être de plus en plus elle-même dans des réalités de plus en plus hautes, de régner sur des règnes eux-mêmes échelonnés, de se répercuter à travers des degrés d'êtres, comme un cri à travers les échos d'une montagne. Les théologiens médiévaux alimentés par le pseudo-Denys, évoquaient ainsi la réfraction, à travers les degrés d'êtres, des grandes réalités comme l'Amour, la Vie, la Connaissance. C'était l'évocation analogique. C'est par une telle évocation que Gertrud von Le Fort entreprend de traiter la Féminité.

Celle qui est bénie entre toutes les femmes.

Si l'ouvrage de Gertrud von Le Fort trouve son enracinement dans une figure claudélienne : Prâkriti, il trouve son sommet dans une autre figure claudélienne : Violaine. Celle-ci occupe à juste titre dans les dernières pages une place de choix. Violaine, la vierge lépreuse, est devenue mystérieusement épouse et mère par l'intermédiaire de ce oui prononcé au matin du Prologue, devant l'invitation de Dieu. Ce oui sans aucun son que fut le baiser au lépreux, Pierre de Craon. Et les hommes jouent leur vie dans ce drame : Pierre de Craon bâtit la cathédrale. Jacques Hury fait prospérer la ferme. Le vieil Anne Vercors accomplit son aventureux pèlerinage à Jérusalem. Le roi rentre à Reims.

Mais tout, tout est suspendu à l'existence silencieuse et méprisée de la jeune fille Violaine. C'est sur son échec que repose leur réussite ; sur son abjection, leur succès ; sur son silence, le grain de leurs paroles ; sur son immobilité, leurs marches et leurs démarches ; sur sa cécité, la sûreté de leur route ; sur sa mort lente, le rebondissement de leur vie : témoin cette petite Aubaine ressuscitée entre ses bras, la nuit de Noël, sous le voile, cette petite Aubaine en qui justement la vierge devient épouse et mère. Aubaine morte avait les yeux noirs de Mara. Aubaine ressuscitée aura les yeux clairs de Violaine.

Violaine, cette image, nous achemine vers la réalité de Marie, celle qui fut à la fois *Sponsa Dei* et *Virgo Mater*. Les réalités biologiques ou littéraires n'étaient que des préludes au surnaturel des trois sommets où chacune des destinées féminines trouve sa consécration : la consécration des vierges, le sacrement de mariage, le sacrement de baptême. Mais ces trois sacrements eux-mêmes ne sont devant la Vierge Marie que l'escabeau de ses pieds. Ce qui est distribué sur chacun d'eux est ramassé en elle depuis ce moment où après son Fiat l'Esprit-Saint l'a recouverte de son ombre. En elle, la femme la plus femme est aussi la femme la plus sainte. « Elle représente la puissance d'offrande du monde sous l'aspect nuptial de la Femme. » En elle s'éclaire le problème de la féminité. « Le dogme catholique a posé les propositions les plus fortes qui aient jamais été exprimées sur la femme. Ces propositions effacent tous les autres essais d'explication métaphysique du caractère féminin et les font apparaître comme un simple reflet de la théologie ou comme dépourvus de valeur et de signification religieuses. L'Église ne se contente pas, dans le sacrement de mariage, d'égaler à elle-même toutes les femmes, elle a encore proclamé une femme Reine du Ciel. Elle l'a appelée la Mère du Rédempteur, la Mère de la Grâce divine. Certes, répétons-le énergiquement, ces termes n'impliquent pas l'incarnation du principe féminin en soi, ils ne concernent que l'unique femme dont il ait été dit qu'elle était bénie entre toutes les femmes. Mais si cette femme est infiniment plus que le symbole de la féminité, elle est aussi ce symbole ; c'est elle qui donne forme au mystère métaphysique de la femme et qui le rend concevable » (p. 8).

Marie est Vierge. Elle est Épouse. Elle est Mère, et elle est tout cela sous le voile. Sous le voile du silence dans lequel l'enveloppe l'Évangile. Sous le voile de l'obscurité dans laquelle la plonge le dogme : l'Immaculée Conception, l'Annonciation font ensemble de la Vierge la « seconde » de Dieu. « Le Créateur est l'ultime secret de l'Immaculée Conception ; le Rédempteur est l'ultime secret de la Co-Rédemptrice » (p. 26). Sous le voile de la vie cachée, qu'il s'agisse de sa vie historique ou de sa vie glorieuse : « Rarement énoncés par les Évangélistes, négligés pendant des périodes entières de la vie de l'Église, les dogmes qui la concernent n'apparaissent jamais qu'aux époques où la foi chrétienne est exposée aux plus grands périls. Le principal a été proclamé au Concile d'Éphèse, il forme une partie de la réfutation de l'hérésie christologique de Nestorius. Marie ne s'élève pas dans ses dogmes pour plaider sa propre cause, mais pour défendre celle de son Fils. Les détails psychologiques de sa figure humaine et temporelle ne sont accessibles ni à la critique historique, ni aux constructions intellectuelles, ni même à l'amour le plus tendre. Ils sont voilés dans le secret de Dieu, pour ne trouver que là leur vérité religieuse » (pp. 11-12).

L'Image de la Litanie de Lorette, en donnant la formule de la Vierge, a donné la formule de la vie de la femme : « Marie, étoile du matin ; étoile du matin qui précède le soleil pour s'abîmer en lui » (p. 11).

*
**

« Plus une femme est sainte, plus elle est femme. » Gertrud von Le Fort a repris à son compte le mot de Léon Bloy, et par tout son livre elle lui fournit un commentaire éblouissant. Il s'en dégage une philosophie, et presque une théologie du féminisme. Son objectif est net : non pas réintégrer la femme dans le monde masculin, mais réhabiliter le monde féminin en tant que tel, comme sphère complémentaire de l'être, car « Dieu a irrévocablement, comme l'une des moitiés de l'être, posé la féminité » (p. 82).

Cette perspective la rend critique à l'égard du mouvement féministe du début de ce siècle : « L'explosion du mouvement féministe fut une explosion spirituelle (de ce point de vue, nous pouvons éliminer les motifs secondaires d'ordre économique), la sottise et l'étroitesse d'esprit de la famille bourgeoise ont déterminé cette explosion. Du fond de la misère de leurs âmes inassouvies, les femmes de cette époque-là criaient vers l'esprit et l'amour, et cela doit suffire à nous faire respecter la tragédie où elles se débattaient. Elles ont cherché à faire entrer la femme dans le monde de l'homme, en dehors de la famille qui ne pouvait plus ni l'accueillir, ni l'accomplir » (p. 83).

Compréhensive de « l'impulsion authentiquement féminine qui a donné naissance au mouvement féministe », Gertrud von Le Fort demeure réticente sur ses résultats. A lui tout seul il ne serait qu'une solution bâtarde : « Le destin du mouvement féministe ne représente qu'une fraction du destin de son époque. Ce fut un destin nécessaire. Au lieu de reprendre les fondations de la vie en commun, on a essayé d'étayer les murs extérieurs de l'édifice. Que déjà la question sociale ait été posée comme une question indépendante, cela suffit à montrer la déchéance de la culture : ce n'est pas en partant du social qu'on peut mettre en ordre le social, mais en partant de l'esprit. Au lieu de prendre et de poursuivre le grand courant culturel qui porte le problème de la communauté, on se battit autour de questions de détail et de surface ; au lieu de sauver avant tout l'esprit on se crut obligé d'assurer d'abord ses conditions d'exercice. Au fond de cette détresse commune que la femme rencontrait dans le monde, se retrouvait la même détresse qui l'avait, elle, chassée de la famille ».

L'auteur se félicite néanmoins de quelques-unes des premières victoires remportées par le mouvement féministe. Mais à ses yeux cette situation ne fait que rendre plus urgente la réalisation plénière de l'éternelle vocation féminine. Pour sauver un monde menacé jusqu'en son existence, elle conjure la femme de jeter dans la balance sa « puissance de symbole ».

A l'accomplissement de cette mission Gertrud von Le Fort apporte magnifiquement deux éléments majeurs : d'abord, un horizon : l'horizon de cette Femme éternelle, bénie entre toutes les femmes, en qui s'est inimaginablement réalisé le mot de Bloy : Plus une femme est sainte, plus elle est femme. Elle apporte aussi une logique — la logique de ce même mot, mais retourné, car l'action commence où la connaissance finit : « Il convient d'appliquer ici la grande parole de saint Augustin : « Aime Dieu et fais ce que tu voudras ». Transposant ces mots, sans en altérer le sens, Gertrud von Le Fort les applique explicitement à la femme qui, dans sa soumission à Dieu, reste dans la ligne du Fiat : « Sois vraiment femme et fais ce que tu voudras » (p. 94). Plus une femme est femme, plus elle est sainte.

H.-Ch. DESROCHES.

AVERTISSEMENT

La femme est un symbole.

Cet essai voudrait dégager la signification de la femme, étudier non pas son rôle psychologique ou biologique, historique ou social, mais son rôle symbolique. La voie où l'on engage ainsi le lecteur présente d'incontestables difficultés. La langue des symboles a été autrefois une langue universelle, partout comprise par la pensée vivante : plus tard, la logique et ses concepts abstraits l'ont parfois si complètement évincée qu'il paraît nécessaire d'en rappeler au lecteur les principaux caractères.

Les symboles sont des signes ou des images, grâce auxquels les réalités et les essences métaphysiques dernières sont non pas connues abstraitement, mais contemplées en figure. Ils sont, dans le visible, le langage de l'invisible. Ils procèdent de la croyance en un ordre intelligible de toutes les choses, qui se révèle à travers elles comme étant voulu par Dieu, et ce, grâce à leur langage symbolique.

Les symboles lient par conséquent le sujet qui en est porteur, et continuent de le dominer inéluctablement, alors même qu'il n'en comprend plus la signification ou même qu'il la nie ou la repousse. Le symbole n'exprime donc pas le caractère ou l'état accessible à l'expérience des sujets qui lui servent momentanément de support, mais bien leur signification métaphysique : le sujet peut déchoir, le symbole ne tombe pas avec lui.

Si la signification du symbole ne coïncide pas

nécessairement avec ce que l'expérience fait connaître de son sujet individuel, l'élément essentiel que le symbole révèle n'est pas davantage exclusivement attribué à ce sujet. On affirme ici que la femme, considérée dans sa signification symbolique, est spécialement destinée aux valeurs religieuses. Mais on ne prétend aucunement qu'il existe une religiosité spécifiquement féminine, ni une supériorité religieuse de la femme sur l'homme. Ce serait comprendre ce livre à contresens. Il s'agit de l'aptitude à former l'image des valeurs religieuses, dans leur représentation figurée, image et représentation qui sont bien — ce que montre le symbole — en tout premier lieu le lot et la mission de la femme.

Ce qui vaut de la signification principale de l'être féminin est encore vrai de ses aspects particuliers. A chaque page de ce livre, on aura en vue le mode féminin de la manifestation des choses ; mais ce qui est manifesté, étant donné son caractère métaphysique, la femme ne saurait aucunement se l'approprier. La manifestation de toute essence est ici-bas toujours double. Il suffit pour s'en rendre compte d'évoquer les deux formes symboliquement les plus hautes de la vie masculine : le héros et le prêtre. Le héros, lui aussi, connaît la miséricorde, cette grande vertu féminine, — mais c'est en homme qu'il la manifeste : le chevalier assume la défense des petits et des faibles ! Avec saint Vincent de Paul, le prêtre serre maternellement sur son cœur l'enfant abandonné. Saint Louis de Gonzague et les ordres militaires proclament l'importance de la virginité comme vertu virile. On reconnaît encore cette double manifestation des choses, mais en sens contraire, quand on voit sainte Catherine de Sienne exiger de ses filles les vertus viriles parce que ce sont les véritables vertus chrétiennes. On la reconnaît enfin de façon privilégiée quand on prête attention à la grande prière des Litanies de Lorette. Elle invoque Marie, *Mater amabilis,* et, tout de suite après, *Virgo potens.* Aux appellations viriles de *Turris davidica* et *Speculum justitiae,* succède la féminine *Rosa mystica.* Comme toute vérité concernant la femme, le sens même du symbolisme féminin, s'éclaire par référence à l'image de la Femme Éternelle : Marie, représentante de toute la création, représente pareillement l'homme et la femme.

LA FEMME ÉTERNELLE

Image définitive en Dieu.

Chaque fois qu'à propos de l'être créé on évoque l'idée de l'éternel, ce n'est plus de l'être créé qu'on parle, mais de l'éternité du seul être éternel : Dieu. Seule une époque dévoyée, une époque qui aurait laissé se corrompre son instinct métaphysique peut attacher à une créature le concept de l'éternité, — qu'elle soit prise au sens de valeur absolue ou de durée absolue, — sans s'apercevoir qu'elle anéantit du même coup cette créature au lieu de la magnifier. En se plaçant dans la lumière de l'éternité, la créature confesse sa propre relativité, et ce n'est qu'au prix de cet aveu que l'éternité se reconnaît en elle. Cette créature qui se résout en ces conditions temporelles, qui s'efface en présence de l'Inconditionnel intemporel — c'est bien pour faire place à cet Inconditionnel intemporel qu'elle disparaît : assumée dès lors par lui, elle cesse de paraître sa propre raison d'être, pour n'être plus que le reflet et la pensée de l'éternel, sa ressemblance et son réceptacle. Toute purification, tout don de soi à caractère religieux n'a pas d'autre sens. Ce sens est celui de la sainteté comme celui de l'amour, c'est aussi celui de la mort. C'est le seul et unique sens selon lequel nous oserons parler ici de la Femme Éternelle. Nous ne nous proposons nullement d'analyser ni même de transposer quelques-uns des traits relativement immuables — éternels au sens étroit et terrestre du mot — de la figure expérimentale de la femme. Nous avons en vue ses traits métaphysiques et cosmiques, le mystère féminin comme tel, sa situation religieuse, son image originelle et son image définitive en Dieu.

En nous plaçant sur ce terrain, nous écartons toute tentation d'interprétation arbitraire ou personnelle. L'univers religieux commence là où finit le subjectif et l'arbitraire.

L'art seul...

Mais, cette limite une fois franchie, dans quelle langue allons-nous nous exprimer ? Nous ne pouvons jamais appréhender le monde métaphysique que sous le voile des formes, et nous voilà ramenés sur le terrain du « relatif » et dans le cadre du temporel. L'art seul, à ses grandes heures de grâce, est capable d'annoncer l'impérissable à l'aide de formes périssables. Mais aussitôt que nous interrogeons l'art, nous nous trouvons devant une autre constatation : le grand art de l'Occident ne se sépare jamais du dogme de l'Église chrétienne et catholique ; chaque fois que ses œuvres défient le temps, il en est le prêtre et le témoin. La grandiose *Missa Solemnis* de Beethoven rassemble par milliers, autour du Credo de l'Église, les auditeurs que l'Église elle-même n'est plus capable d'attirer dans ses rangs. La grande sculpture et la grande peinture font encore connaître de façon irréfutable, même aux païens modernes, les figures du drame de la rédemption chrétienne. Interroger cet art, non seulement du point de vue esthétique, mais aussi du point de vue religieux, c'est être pleinement conscient d'aborder le domaine des grands dogmes catholiques, du fondement supratemporel et suprapersonnel sur lequel repose toute la culture de l'Occident, et dont elle demeure solidaire même quand elle le nie.

Puissance d'offrande du monde.

C'est le moment d'affirmer que le dogme catholique a énoncé les propositions les plus fortes qui aient jamais été exprimées sur la femme. L'Église ne se contente pas, dans le sacrement du mariage, d'égaler à elle-même toutes les femmes, elle a encore proclamé une femme Reine du Ciel. Elle l'a appelée la « Mère du Rédempteur » la « Mère de la Grâce divine ». Certes, il faut le dire avec insistance, ces termes n'impliquent pas l'incarnation du principe féminin en soi, ils ne concernent que l'unique femme dont il ait été dit qu'elle était « bénie entre toutes les femmes ». Mais si cette femme est infiniment plus que le symbole de la féminité, elle est *aussi* ce symbole ; c'est elle qui donne forme au mystère métaphysique de la femme et qui le rend concevable.

Nous allons tenter de nous rendre compte du contenu du dogme marial. Consultons les grands peintres de la vie de Marie : par exemple Fra Angelico.L'Immaculée n'apparaît tout à fait visible qu'au dernier de ses tableaux, celui du Couronnement. Historiquement le dogme de l'Immaculée Conception n'a été promulgué que très tard, mais métaphysiquement il est au commencement du mystère de Marie — il est au commencement de tout : il plonge dans la splendeur matinale de l'heure de la création. Le dogme de l'Immaculée nous représente ce qu'était l'homme avant la chute, il nous représente les traits de la créature avant qu'ils ne fussent profanés, l'image de Dieu dans l'humanité. De ce point de vue, une lumière extraordinaire jaillit pour nous de sa promulgation : cette heure a sonné immédiatement avant le moment où Berdiaeff, ce philosophe chrétien de l'histoire, a situé « la destruction de l'image de l'homme ».

Les lignes qui précèdent éclairent déjà le sens incommensurable, universel, du dogme marial. Si l'Immaculée représente le type idéal de l'image divine dans l'humanité, ce type trouve sa réalisation dans la Vierge de l'Annonciation. L'humble *Fiat* par lequel elle répond à l'Ange porte tout le mystère de la Rédemption du point de vue de la créature. Car, face à Dieu, l'homme ne peut participer à sa propre rédemption que par la disponibilité d'un don de soi sans conditions. Le *Fiat* de la Vierge révèle la spécificité de l'élément religieux. Mais, puisque ce don de soi révèle en même temps la spécificité de la femme, c'est celle-ci qui devient révélatrice de l'élément religieux dans la nature humaine en général. Marie n'est donc pas seulement l'objet d'un culte religieux, elle est elle-même cet élément religieux qui rend un culte à Dieu, la puissance d'offrande du monde sous l'aspect nuptial de la femme. Tous les malentendus au sujet de la dévotion mariale reposent sur une erreur, du moins dans les milieux non catholiques. Cette erreur consiste à croire qu'on a élevé la Vierge au rang d'une sorte de déesse ; or c'est le contraire qui est vrai. Invoquer Marie n'est pas invoquer une déesse, mais invoquer la capacité d'accueil et le don d'un être humain, donc pénétrer dans le secret de la coopération avec Dieu, dont l'action seule est efficace[1]. Marie ne s'élève pas pour plaider sa propre cause, mais pour défendre celle de son Fils. Les détails psychologiques de sa figure humaine et temporelle ne sont accessibles ni à la critique historique, ni aux constructions intellectuelles, ni même à l'amour le plus tendre. Ils sont voilés dans le secret de Dieu, pour ne trouver que là leur vérité religieuse ; car le voile est en ce monde le symbole du métaphysique. C'est aussi celui de la féminité : toutes les grandes circonstances de la vie

1. La notion de corruption absolue de la nature humaine par le péché est étrangère à l'Église catholique. Au contraire elle reconnaît, même à la créature déchue, un pouvoir étendu de décision qui collabore à la grâce.

féminine nous montrent la figure de la femme sous un voile. Ce voile aide à comprendre pourquoi ce n'est pas l'homme mais la femme qui prépare le monde à l'introduction des plus grands mystères du christianisme. L'annonce à Marie du message de Noël trouve une réplique dans l'annonce de la Résurrection à Madeleine. Quant au mystère de la Pentecôte, il nous montre l'homme, mais dans l'attitude purement réceptive de la femme. Le sens de l'Église elle-même est éclairé par la figure de Marie. L'apparition sur terre de la Vierge révèle la véritable cellule originelle de l'Église : le premier lieu de la rédemption sur terre fut le sein maternel de la femme. C'est de Marie que date pour l'Église le beau nom de mère.

Que l'on s'en tienne au plan de la métaphysique ou que l'on s'élève au plan de la Rédemption, le dogme catholique nous montre donc toujours le don de soi comme mystère essentiel de la femme. Il apparaît avec une perfection unique, infiniment supérieure à toute créature, dans la personne de la très sainte Vierge et mère, mais, comme en une immense hiérarchie des dons de soi, il a été vécu après ou avant elle de façon fragmentaire, sous des formes multiples. De même que la Sybille a précédé Marie, le mystère de l'univers a précédé le mystère chrétien de la rédemption, en le prophétisant pour ainsi dire.

Avant tout, l'invisible.

Le thème de la féminité résonne à travers la création tout entière. Pareil aux harmonies d'un tendre et lointain prélude, il vibre au-dessus de la terre qui entr'ouvre son sein, telle une jeune épousée. Il vibre au-dessus des émouvantes femelles des fauves, que la maternité soustrait presque au monde des brutes. Il vibre au-dessus de la fiancée et de l'épouse aimante. Il vibre très haut au-dessus des mères humaines. Chacune reçoit de son enfant la lumière qui l'éclaire. Ce thème se laisse reconnaître jusque dans la sensualité des amants prodigues d'eux-mêmes. Il vibre au-dessus des dons les plus humbles, les plus fugitifs, au-dessus des marques de bonté les plus petites, les plus puériles : il vibre même sur leur simple évocation. Des sphères de la nature il monte vers celles de l'esprit et du surnaturel : partout où la femme est le plus profondément elle-même, elle n'est plus elle-même, mais elle est donnée ; partout où elle est offerte, elle est aussi épouse et mère. La religieuse porte souvent le titre de « mère » ; elle le porte en tant que vierge-mère. La Sibylle dont la bouche écumante annonce le nouvel Éon est la « mère de l'avenir », car la prophétie n'est qu'une forme de la maternité. Si la Sibylle a précédé Marie, les saintes la suivent, ramenant pour ainsi dire le mystère primitif à son lieu d'origine. Ainsi peut-on comprendre que les missions les plus étonnantes que les femmes aient accomplies relèvent du domaine religieux. Sainte Catherine de Sienne a été chargée de ramener le pape d'Avignon à Rome et elle l'y a effectivement ramené. Sainte Jeanne a reçu l'étendard des batailles. Et c'est quand elle est investie d'une mission exceptionnelle qu'il est éminemment vrai de dire que la femme agit seulement à la manière de l'épousée, qu'elle agit sous le voile : sainte Catherine n'était pas présente à l'entrée du pape à Rome, sainte Jeanne a reçu son voile dans les flammes du bûcher. Le voile est toujours le signe caractéristique de toutes les grandes missions de femmes.

Le symbole du voile attribue à la femme, avant tout, l'invisible : tout ce qui est du domaine de l'amour, de la bonté, de la pitié, de la sollicitude et de la protection, donc tout ce qui est réellement caché, et la plupart du temps trahi dans le monde. Aussi bien les époques où les femmes sont écartées de la vie publique n'éliminent-elles pas la signification métaphysique de la femme ; ce sont peut-être au contraire ces époques-là, bien qu'à leur insu, qui jettent le poids énorme de la féminité dans la balance du monde.

Responsable de toute chute.

En tout don de soi, luit un rayon du mystère de la Femme éternelle. Mais quand la femme se recherche elle-même, ce rayon s'éteint. En cherchant à rehausser sa propre figure, la femme détruit sa figure éternelle. C'est ce qui explique la chute de la femme, celle d'Ève. Pour rendre la nature exacte de ce péché, il ne suffit pas d'opposer les sens à l'esprit. La chute de la femme, n'est pas à proprement parler la chute de la créature qui tombe à terre, mais bien plutôt sa chute de la terre, dans la mesure où cette terre représente aussi l'humble disponibilité de la femme. La chute, au récit de la Genèse, ne procède point de la tentation du fruit délicieux, elle ne procède pas davantage de la tentation de la connaissance ; elle procède expressément du *Eritis sicut dii*, l'antithèse du *Fiat* de la Vierge. Le vrai péché originel s'accomplit dans l'ordre religieux, et par conséquent il signifie au premier chef la chute de la femme : non pas parce qu'Ève a pris la pomme la première, mais parce qu'elle l'a prise en tant que femme. Autrement dit, la créature a péché dans sa substance féminine, puisqu'elle a péché dans l'ordre religieux. Voilà pourquoi la Bible désigne Ève, et non Adam, comme la plus coupable.

Il est donc absolument faux de dire qu'Ève a succombé parce qu'elle était plus faible ; le récit de la tentation dans la Genèse montre clairement qu'elle fut plus forte que l'homme, qu'elle lui fut supérieure. Considéré sous l'angle du monde, l'homme détient sans doute l'appareil extérieur de la force ; la femme en commande les ressorts les plus profonds. Jamais la faiblesse de la femme n'a provoqué sa défaite ; c'est au contraire lorsque sa force a été reconnue et redoutée qu'elle a été vaincue. Et ce fut justice, car les catastrophes arrivent fatalement sitôt que la plus grande puissance du monde recherche une domination égoïste et qu'elle ne se contente plus de se donner. Dans la sombre légende de la lutte engagée autour du matriarcat décadent, on sent passer la terreur inspirée par le pouvoir de la femme. L'aptitude au don de soi le plus total implique la possibilité de son refus le plus complet. Le mystère de la femme se présente alors par sa face négative. Non seulement toute la signification et tout l'être de la femme sont orientés vers le don de soi, mais la femme est précisément la faculté de don de soi de l'univers : aussi ses défections en ce domaine ont-elles un caractère démoniaque et sont-elles ressenties comme telles.

Si Ève n'est pas le Mal en soi, si elle a été précédée dans la chute par l'ange déchu et que l'on parle du diable au masculin, elle partage avec Satan le pouvoir de séduire, c'est-à-dire le pouvoir d'assouvir sa volonté personnelle, le contraire de l'esprit d'offrande. L'ange déchu est plus hideux que la créature humaine déchue, la pécheresse est plus hideuse que le pécheur. Kleist a magnifiquement rendu dans sa *Penthésilée* le drame de la femme. La Méduse et les Erynnies de la mythologie reflètent l'horreur qu'inspire la femme déchue. La croyance des siècles chrétiens aux sorcières, si terribles qu'aient été ses erreurs dans les cas individuels, souligne par son aspect profond la terreur des hommes devant la femme qui a cessé d'être fidèle à sa destination métaphysique. Aujourd'hui, le péché de la femme se matérialise dans une si grande trivialité qu'il ne suscite plus de semblables épouvantes. Mais l'histoire du péché originel se reproduit constamment. En un sens profond la femme est responsable de toute chute, non seulement parce qu'elle est la mère dont le sein nourrit ceux qui tombent, mais aussi parce que toute chute, celle de l'homme comme celle de la femme, s'inscrit dans le domaine particulièrement confié à la femme.

Nous avons trouvé la femme déchue au début de l'histoire, elle se dressera encore à la fin des temps. Ce n'est pas l'homme qui est la figure apocalyptique de l'humanité : les « derniers jours » ont précisément ceci d'essentiel que la figure de l'homme y disparaît : il n'est plus possible d'opposer une autorité virile aux forces nues de la destruction. L'Apocalypse de saint Jean ne nous dépeint pas l'Antéchrist sous les traits d'un être humain, mais comme la « Bête sortie de l'abîme ». La seule figure humaine identifiable dans le texte apocalyptique est la femme : seule la femme infidèle à sa mission est capable d'incarner la stérilité absolue qui entraînera inexorablement le monde à la mort et à la disparition.

Le masque sans visage du sexe.

Puisque la devise de la femme, « qu'il me soit fait selon votre parole », implique l'acceptation de concevoir, — en termes religieux, le consentement à la bénédiction de Dieu, — la femme qui se refuse à concevoir, qui ne veut plus être bénie de Dieu, doit nécessairement entraîner de grands malheurs avec elle. Cela va plus loin que la biologie : la ligne descendante des refus répond à la ligne montante de tous les degrés du don de soi. Il y a un monde entre la renonciation héroï-tragique de l'Amazone et le refus tel qu'il apparaît dans l'Apocalypse. L'homme perd sa valeur humaine quand il s'incline devant les forces brutes qu'il devrait dominer ; la femme perd la sienne quand elle se prostitue. La « grande Courtisane » est le signe apocalyptique des derniers jours. La prostituée brise radicalement la ligne des *Fiat* ; au don de soi elle substitue la forme dernière de la faillite intime : la vente de sa personne. Nous n'entendons pas porter ainsi un jugement individuel sur les plus misérables de toutes les femmes, mais la prostituée par elle-même représente déjà le jugement : elle ne « coopère » plus dans l'esprit d'amour et d'humilité, elle sert comme une chose. La chose se venge en dominant celui qui l'emploie. L'homme soumis aux forces brutes voit s'élever pour régner sur ses instincts la « maîtresse » triomphante. Symbole de la stérilité absolue, la prostituée évoque l'image de la mort. « Maîtresse », elle n'évoque que le règne de la pourriture.

Les apocalypses des siècles et des civilisations précèdent l'Apocalypse des derniers jours. Quand la femme a refusé le don de soi, même au plan des sens, et qu'elle s'est consacrée au plus misérable de tous les cultes, celui de son propre corps, — et cela quand l'humanité souffre une misère inouïe, — elle a atteint ce degré de déchéance où elle a tout perdu de sa vocation métaphysique. Avec les modes actuelles, ce n'est plus alors le visage puérilement innocent de la vanité féminine qui nous regarde, c'est une face triviale et hallucinante, l'antithèse absolue de l'image divine : le masque sans visage du sexe. C'est ce masque, et non l'athéisme théorique par exemple, qui constitue l'expression la plus frappante de l'absence de Dieu dans le monde moderne.

La créature coopère.

Nous revenons ainsi à notre point de départ : l'image divine dans sa pureté révélée par le dogme de l'Immaculée Conception. La promulgation d'un dogme répond toujours à un danger précis couru par la religion : sous sa forme la plus générale le dogme marial affirme, disions-nous, que la créature coopère à sa rédemption. C'est seulement de ce point de vue que son importance immense pour notre époque s'éclaire pour nous : en effet, la grâce divine ne change pas, mais ce qui apparaît de plus en plus changé aujourd'hui, c'est la coopération de la créature.

Sous se rapport il est profondément significatif qu'au cours des dernières décennies de notre siècle et du précédent la nostalgie des peuples se soit sans cesse tournée vers Marie. Une réponse lui fut donnée par les apparitions de La Salette, Lourdes et Fatima, pour ne citer que les plus connues et celles reconnues par l'Église. Que le dernier dogme marial, celui de l'Assomption de la très sainte Vierge, fût proclamé de nos jours ne fait qu'aller dans le même sens. On l'a bien souvent mal compris, même dans les milieux catholiques. Ceci est dû non seulement à certaines exagérations populaires de la dévotion mariale, mais surtout au caractère rationnel de la pensée de l'homme moderne, trop souvent exclusivement tournée vers ce monde-ci. Or le dernier dogme proclamé s'élève jusqu'à une vision transcendante de la figure de Marie. Même le grand art inspiré de la foi de l'Occident chrétien a proclamé l'accueil de Marie au ciel bien avant sa formulation dogmatique : Fra Angelico a coiffé du diadème celle qui avait été élevée dans les cieux. Par les mots : « Vierge mère, fille de ton fils », le grand poème de Dante ne saluait pas celle que l'on put voir sur la terre, mais celle qui fut transfigurée au ciel : au don de soi dans le temps succède la béatitude dans le monde de l'éternité. Elle représente aussi bien la transfiguration de l'Église que la transfiguration de l'âme individuelle et de son corps charnel, transfiguration anticipée à vrai dire d'une manière unique par la figure de Marie, mais dont elle est le gage. Elle peut se réclamer des paroles du Christ : « Père, ceux que tu m'as donnés, je veux que là où je suis ils soient aussi avec moi. [2] »

Mais revenons encore une fois à la signification de la figure de Marie pour cette terre.

La doctrine de la coopération nous montre logiquement en elle le plus puissant des secours dont la foi en détresse puisse disposer, la seule défense victo-

2. Jn 17, 24.

rieuse contre la régression religieuse. La Litanie de Lorette l'affirme déjà quand elle appelle Marie « Reine des Anges », c'est-à-dire aussi « Reine de saint Michel au combat » ; quand elle la proclame « Reine des Apôtres » — sans Marie même la prédication apostolique n'eût pas été efficace ; — quand elle l'invoque enfin comme « Reine du Saint Rosaire » — la prière n'existe pas si le cœur humain n'est pas disponible et consentant. Le dogme marial n'évoque donc pas seulement la coopération de la créature accomplie en Marie, mais, en Marie, la coopération de toutes les créatures.

La misère religieuse entraîne toujours de plus amples misères. Sans doute notre époque ne croit-elle plus que le châtiment suit de près le rejet de Dieu, elle a oublié ce simple truisme suivant lequel un trouble au cœur de l'organisme dérègle fatalement toutes les fonctions extérieures ; elle s'en est pourtant vu administrer les preuves les plus grandioses et les plus terribles qui aient jamais été fournies au monde. La foi en Marie triomphatrice de la décadence religieuse couronne ainsi la foi en Marie « perpétuel secours ».

La folie masculine.

La femme a, au sens le plus fort du mot, « porté » le salut ; vraie sur le plan religieux, et parce qu'elle est vraie sur ce plan, cette proposition vaut également partout. Les peuples et les États, pour s'épanouir, ont besoin de vraies mères... Cette idée ne correspond pas seulement à la vérité biologique immédiate, elle correspond aussi à cette vérité plus profonde que le monde spirituel lui-même n'a pas seulement besoin de l'homme qui montre la direction à suivre, il réclame aussi la Mère. Ici, les chemins se croisent. Si d'un côté la création a refusé de collaborer à la Rédemption, de l'autre elle a prétendu se l'approprier. Notre époque sécularisée a commis la folie masculine de se fier à soi-même pour son salut, comme si nous étions nos propres créateurs ; cette folie explique tous ses échecs. La créature n'est jamais rédemptrice, mais elle doit être corédemptrice. Ce qui est proprement créateur ne peut être qu'accueilli. Même l'homme accueille l'esprit créateur sous le signe de Marie, dans l'humilité et le don de soi — ou il ne l'accueille pas du tout et ne fait qu'accueillir sans cesse à sa place l'esprit « qu'il peut comprendre », et qui au fond n'est capable de rien comprendre. Le monde est bien mû par la force virile, mais il ne peut être fécondé, au sens profond du terme, que sous le signe de la femme. Le don de soi à Dieu est le seul pouvoir absolu dont dispose la créature : seule l'*Ancilla Domimi* est la *Regina Coeli.* Partout où la créature collabore en toute sincérité, on voit poindre la « mère du Créateur », la « mère du bon conseil ». Partout où la créature s'arrache à elle-même, la « mère tout aimable », la « mère du bel amour », se porte au secours du monde blessé. Partout où les peuples sont de bonne volonté, la « reine de la paix » intercède pour eux.

L'étoile qui précède le soleil.

La rédemption de ce monde n'est qu'une image de celle de l'au-delà. De nouveau la nature esquisse pour ainsi dire le prélude du surnaturel, ce prélude retentit à travers toutes les sphères de l'être : la terre, qui s'ouvre aux noces du grain de blé, s'ouvre également pour recevoir le mourant dans son dernier repos. Toute vie prend naissance dans un acte d'offrande pour s'achever en un acte d'offrande. Mais la terre qui recueille le mourant n'est pas l'éternité, elle ne fait que rendre le mourant à l'éternité : c'est le mourant lui-même qui devient le germe de sa résurrection. Marie, patronne des mourants, « mère de miséricorde », a un double aspect : celle qui assiste chaque mourant assiste aussi le monde déclinant, elle est aussi la Madone de l'Apocalypse.

C'est elle qu'a peint le Greco dans son *Immaculée Conception.* La beauté inquiétante et fragile du paysage qu'il a étendu à ses pieds, évoque la réalité du monde déchu avant l'avènement du Christ et elle en présage également la disparition lors de la Parousie : il traduit les frissons et les angoisses de la création qui, nous dit saint Paul, est perpétuellement « dans les douleurs de l'enfantement ». L'Apocalypse n'est pas seulement une disparition, c'est aussi un commencement : le Christ revient, le Juge de ce monde paraît dans la puissance du Créateur. C'est seulement en entrant dans un monde futur que le dogme marial reçoit son ultime confirmation : la Patrone des agonisants, la Madone de l'Apocalypse, parce qu'elle est l'Immaculée Conception, constitue la promesse d'un ciel nouveau et d'une terre nouvelle. C'est le sens du thème de l'Étoile du matin, de l'Étoile qui précède le Soleil pour s'abîmer en lui. Les Litanies de Lorette interrompent brusquement leurs grandes invocations à Marie pour se prosterner aux pieds de l'Agneau de Dieu, l'« éternel féminin » n'a « tendu vers les sommets » que pour fléchir le genou devant l'Éternel divin. Le Créateur est l'ultime secret de l'Immaculée Conception, le Rédempteur est l'ultime secret de la Corédemptrice. L'auréole de gloire de l'Esprit-Saint, de l'amour incréé est la couronne mais c'est aussi le dernier voile, le voile éternel posé sur la tête de la *Virgo Mater.*

LA FEMME DANS LE TEMPS

Plénitude de silence.

Que représente la femme dans le temps ?

Apparemment, la moitié de l'existence et de la destinée humaine, donc la moitié de l'histoire ! Cependant, on le sait de reste, ce n'est pas la femme, c'est l'homme et ses œuvres qui modèlent la face de l'histoire. L'homme ne décide pas seulement les grandes actions politiques des peuples ; il est aussi responsable de l'ascension et du déclin de leur culture spirituelle ; même, et c'est peut-être ce qui importe le plus, encore que les valeurs religieuses soient, nous l'avons dit, le lot spécifique de la femme, c'est lui surtout qui les incarne et qui leur imprime la forme qu'elles garderont dans l'histoire. Chaque fois que l'on prête l'oreille au chœur des siècles, c'est la voix de l'homme que l'on perçoit. A de rares exceptions près, on ne sent la présence de la femme qu'à la plénitude du silence qui accompagne et soutient les chants masculins. Le mystère de la femme est la puissance d'offrande du monde : cette offrande impliquerait-elle un renoncement métaphysique à la vie dans l'histoire ? Sur terre, l'élément religieux s'identifierait-il à l'impuissance, et faudrait-il dire que son royaume n'est pas de ce monde ? Ou bien, au contraire, les questions précédentes n'impliquent-elles pas que l'on doit rechercher un terrain plus solide ? Ne posent-elles pas le problème d'une nouvelle échelle de valeurs pour prendre la mesure de l'histoire ? Nous sommes ramenés à l'ensemble des questions qui agitent notre époque : le problème de la femme dans le temps devient celui de la femme dans notre temps.

Le grand torrent.

Interrogeons les lois fondamentales de la vie : la biologie nous apprend que la femme ne fait pas elle-même montre et usage des talents nécessaires pour marquer dans l'histoire, mais c'est elle qui, sans qu'on la remarque, les y introduit. Mieux que les pères, les mères nous donnent raison des talents dont leurs fils peuvent être doués : les mères d'un grand nombre d'hommes de génie en sont la preuve. Inversement, les grands hommes ont souvent eu des fils insignifiants ! L'homme engage ses ressources dans ses œuvres, la femme n'engage pas les siennes, elle les transmet. L'homme se consomme et s'épuise dans ses œuvres, il se livre chaque fois qu'il exerce ses talents ; la femme livre les talents eux-mêmes, elle les livre à la génération qui monte. Ainsi la dotation de la femme est égale à celle de l'homme, seulement — nous retrouvons un des thèmes favoris de notre époque — elle ne joue pas au bénéfice de la femme elle-même, mais au bénéfice de ses descendants. Le sens de sa dotation n'est pas étroitement personnel, il s'étend bien au-delà. La dotation de la femme se situe par là sur le plan même où notre époque se place pour mesurer les valeurs.

La durée de la vie de la femme, supérieure en moyenne à celle de l'homme, prend alors un sens symbolique : l'homme représente un moment de l'histoire, la femme la succession des générations ; l'homme incarne la valeur éternelle de l'instant, la femme l'infini de la race. L'homme est le rocher sur lequel se pose le temps, la femme est le fleuve qui le fait progresser ; le roc a une forme arrêtée, le fleuve est fluide. La personnalité est dévolue à l'homme, l'universalité appartient à la femme. Le personnel, c'est l'unique, et donc le périssable. Le personnel consomme son capital, l'universel épargne le sien. La femme vit en moyenne plus vieille que l'homme ; de même les lignes féminines des familles dureront plus longtemps que les souches masculines. Chaque fois que nous parlons de familles éteintes ou de peuples disparus, nous ne pensons qu'aux souches paternelles ; mais les peuples et les familles se perpétuent souvent longtemps encore par leurs lignes féminines, peut-être même ne s'éteignent-ils jamais. Nous réalisons difficilement que le sang des grandes familles de l'histoire, celui des Staufen, voire des Carolingiens, coule encore dans les familles nées de leurs lignées féminines. Le nom du tronc masculin a disparu : comme la femme n'est pas principalement personnalité, mais qu'elle en est le don, de même la durée qu'elle confère à son sang n'est pas pour son affirmation personnelle, mais elle est achetée au prix de sa diffusion dans le fleuve commun des générations. Nous retrouvons ici le second thème féminin fondamental, le thème du voile : même la fonction essentielle de la femme, la transmission du sang, celle de la vie, la femme l'accomplit sans lui donner son nom, elle l'accomplit sous le voile. Le grand torrent des forces qui ont fait et qui feront l'histoire passe par la femme, sans qu'on puisse la désigner autrement que sous le nom de mère. Voilà la donnée fondamentale que notre époque a reconnue, puisque c'est avant tout la mère qu'elle honore dans la femme.

Célibataire.

Mais auprès de la mère nous allons rencontrer la femme isolée. Il est significatif que, de nos jours, beaucoup de femmes à qui la maternité a été refusée appartiennent à la génération sacrifiée de la guerre. Leur espoir de s'épanouir dans le mariage, leur espoir de trouver un appui masculin repose dans les immenses cimetières militaires de l'Europe. La guerre n'a d'ailleurs fait que souligner une vérité de toujours et de partout : dans la perspective de la maternité, le problème de la femme est relativement facile à résoudre, car la nature l'a déjà résolu. Toutes les questions posées par la détresse économique, n'étant pas questions de nature, sont ici secondaires. Le centre de gravité du problème n'est pas du côté de la mère mais du côté de la célibataire.

On comprend qu'à notre époque nous évitions de regarder ce problème en face. Nous vivons dans cette illusion naïve que la célibataire est une fiancée. Au fond nous ne voulons voir la célibataire que sous l'aspect, positif, de la jeune fille à marier, ou bien, négatif, de la vieille fille déçue, ou, pire encore, de la « vieille demoiselle » satisfaite. Notre époque ne conçoit le célibat de la femme que comme un état contingent ou tragique ; le contingent passe, l'avenir peut transformer une situation tragique. En réalité, il ne s'agit pas d'un état contingent, mais d'une valeur, et cette valeur subsiste au sein du tragique. A la réalité négative de la célibataire répond la réalité positive de la vierge. Si la virginité n'est évidemment pas le seul mode possible du célibat, elle en est la vraie forme selon la nature.

La dignité virginale.

A d'autres époques, la virginité a été l'objet de grands honneurs. Le Christianisme n'est pas le premier à l'avoir reconnue, — car bien des thèmes chrétiens ont été esquissés et préfigurés avant qu'il y eût un christianisme. Des montagnes et des constellations célèbrent la Vierge. Diane et Minerve n'offrent pas les mêmes traits que les saintes du Christianisme, mais sous l'angle de la seule nature, ils sont tout aussi impressionnants. Si les premiers

Germains respectaient la femme, c'est qu'ils honoraient la virginité. Les anciens Saxons avaient édicté à son sujet des lois pénales terribles qui châtiaient avec une égale rigueur les séducteurs et les vierges séduites. Pareille à la vestale, la prophétesse de la Germanie était vierge. Nourrie aux antiques sources païennes, les légendes et les chansons de gestes allemands n'omettent jamais d'insister sur l'importance de la pureté des vierges. Les chansons de geste attribuent aux vierges le droit de grâce ; le Haut Moyen Age encore leur reconnaissait effectivement le droit d'accorder la vie au condamné à mort. Partout où une malédiction était inexorable, un sort impossible à conjurer, une vierge pouvait encore intervenir. La croyance de nos ancêtres païens en la puissance rédemptrice de la vierge a préparé la voie à la foi chrétienne en Marie. Pour reprendre la belle expression que Théodore Haecker applique à l'Antiquité, elle en a été l'« Avent ».

La litanie de Lorette appelle Marie la « Vierge des vierges », la « Reine des vierges ». La Mère de toutes les mères reste, dans sa maternité même, la « vierge sans tache ». En faisant un dogme de la virginité éternelle de la Mère de Dieu, l'Église n'a pas voulu exprimer seulement l'inaltérable pureté de Marie, mais elle a affirmé pour tous les temps la valeur propre de la virginité ; elle égale en dignité la vierge et la mère. La notion de la virginité, telle que le dogme l'avait élaborée, anime à son tour l'art de l'Occident chrétien ; mais elle éclaire également les époques de l'art qui ont précédé le christianisme et celles qui ont succédé à son triomphe : chaque fois que l'art a été vraiment grand dans la représentation de la vierge, il n'a traduit ni un état passager, comme peut l'être l'attente des noces, ni un espoir défunt, mais il a exprimé un mystère. Les chefs-d'œuvre de la sculpture antique, tout comme ceux de la statuaire et de la peinture chrétienne, nous font découvrir la virginité absolue dans toute la force du terme. Car leur secret ne réside ni dans l'agrément des formes, ni dans l'intégrité de la figure, mais dans le caractère intime qu'ils évoquent.

Mais les arts du verbe le manifestent peut-être mieux encore que les arts de la forme. Il est frappant de voir combien le type virginal de la femme, à côté du type nuptial ou maternel, hante l'inspiration poétique. Antigone et Béatrice, Iphigénie et la Princesse du Tasse sont des figures virginales et elles ne pourraient être comprises autrement. Quand il représente la Pucelle d'Orléans, Schiller a bien pu laisser dans l'ombre la sainteté de son modèle, mais la virginité de Jeanne s'est imposée à lui : tout le personnage était là. Les valeurs virginales rejoignent ici les valeurs viriles. L'homme, lui aussi, considère la virginité comme l'état préparatoire et nécessaire pour accomplir les missions les plus nobles. Tel est le sens que nous donnons à cette opinion couramment exprimée que les prêtres, les soldats et les hommes d'État, tous ceux qui sans trêve ont à mettre leur vie en jeu, doivent s'abstenir du mariage.

Dans l'instant unique de sa vie personnelle.

Ni le dogme ni l'histoire, ni la fable ni l'art ne voient donc dans la virginité un état contingent ou tragique. Au contraire ils lui attribuent une valeur et une force. Toutefois, deux sortes de difficultés s'opposent à ce que notre époque en convienne : ce n'est plus Dieu mais l'homme qui occupe le centre de sa pensée ; et l'homme ne lui apparaît plus comme individu isolé, mais comme un anneau dans la chaîne des générations. Or, au lieu de s'insérer dans cet enchaînement, la vierge le brise. Elle ne trouve plus de place sur l'échelle perpétuellement ascendante de l'infini terrestre, elle se situe dans l'instant unique et apparemment limité de sa vie personnelle. Elle postule donc la foi en la valeur suprême de la personne humaine, valeur dont la seule nature de l'homme ne peut évidemment pas rendre compte : autrement dit, la virginité transpose la personnalité dans l'ordre religieux, la vierge affirme en l'incarnant la valeur transcendante de la personne dans son rapport immédiat à Dieu seul.

Pareille à la fleur perdue dans la montagne, très haut près des neiges éternelles et qu'aucun œil humain ne contemplera jamais, pareille aux pôles et aux déserts dont l'inaccessible beauté ne s'offre pas nécessairement au service de l'homme et des fins qu'il poursuit, la vierge affirme que seul le reflet de l'éclat éternel du Créateur donne un sens à la créature. Le mystère virginal s'apparente au mystère de toutes les valeurs apparemment gaspillées et inutiles. Semblable à ceux qui meurent jeunes sans avoir pu développer leurs dons les plus riches, la vierge se tient aux frontières du mystère de tous les échecs visibles. Si elle est pureté, son intégrité est toujours douloureuse, elle est un sacrifice à la valeur infinie de la personne. Voilà pourquoi la liturgie des vierges voisine avec celle des martyrs [1]. Le martyr lui aussi proclame la valeur absolue de l'âme par le sacrifice de l'existence terrestre.

La signification religieuse de la virginité fait alors comprendre avec évidence pourquoi les ordres de femmes exigeront toujours le vœu de virginité. Elle nous fait aussi saisir une vérité d'un autre ordre : il faut toujours recourir au supra-temporel pour expliquer les valeurs temporelles. Chaque fois que nous voulons mettre à nu les véritables racines d'une chose, nous rencontrons un dogme catholique qui a donné la réponse décisive.

1. Cf. le beau livre de Marie-Antoinette DE GUEUSER, *Briefe in den Karmel (Lettres au Carmel)*. Pustet, Ratisbonne, 1934.

Le mystère que le mariage désigne.

Il faut ici ouvrir le Rituel à la consécration des vierges. Nous lisons dans la Préface qui la précède ce passage capital : « Tout en reconnaissant la bénédiction nuptiale attachée au saint état du mariage, il fallait qu'il y eût des âmes élues qui mépriseraient l'union charnelle de l'homme et de la femme... et concentreraient tout leur amour sur le mystère que le mariage désigne[2]. » Le mystère « que le mariage désigne » est le *mysterium caritatis.* Le même mystère de l'amour environne également la messe de mariage et la consécration des vierges. La vierge est *sponsa Christi.* Ainsi l'Église s'accorde avec le siècle, pour affirmer que la vierge est destinée aux noces. Mais elle ne songe pas à des noces humaines. La dépendance profonde de tout mystère féminin à l'égard du dogme marial apparaît ici en un éclair : la virginité éternelle de Marie trouve son sens dans les épousailles de l'Esprit qui la couvre de son ombre. Il en va de même pour la consécration de la vierge : elle prononce alors le *Fiat mihi* pour son célibat, mais Dieu accomplit sa vie par le *mysterium caritatis* sur un plan supérieur au plan de la chair. Au lieu d'attendre encore un sens aux yeux des hommes, la personne en reçoit un par rapport à Dieu ; elle le reçoit précisément en vertu du *mysterium caritatis.* Cette idée illumine toutes les catégories du célibat féminin : nous sommes en présence d'une substitution, au sens que ce mot prend dans le dogme.

Traduite en langage profane, la substitution théologique s'appelle la responsabilité collective de tous à l'égard de tous. De même que les œuvres de génie n'appartiennent pas uniquement à l'homme qui les a créées, de même la perfection et l'amour n'appartiennent pas uniquement aux êtres parfaits et aux amants, mais ils sont le bien de tous. Les mérites des

2. Ancienne prière extraite du *Sacramentarium Fuldense.*

saints profitent à leurs frères. Dans le cas qui nous occupe, le *mysterium caritatis* qui éclaire la consécration des vierges répand sa lumière à travers le monde entier. La virginité de l'épouse du Christ donne son sens secret à la virginité de toutes les vierges : un sens qui protège à leur insu même les dernières et les plus humbles d'entre elles.

Au prix de l'abstention.

Parmi ces humbles, nous trouvons les vierges de notre temps, et nous pouvons comprendre le tragique réel de leur situation. Ici, le sacrifice non consenti remplace le sacrifice volontaire, le mystère de l'iniquité celui de l'amour, le *non* de la créature se substitue au *Fiat mihi.* La femme qui se refuse à admettre que sa virginité puisse être une valeur consacrée vit le célibat et l'absence d'enfant comme une tragédie. Le corps et l'âme de la femme sont plus intimement que ceux de l'homme construits en vue du mariage et de la génération : si la femme en est privée, elle risque de croire à l'absurdité
en est privée, elle risque de croire à l'absurdité totale de toute son existence. Cette absurdité apparente n'affecte pourtant pas le sens profond ni de l'absence d'un enfant ni de l'absence d'un époux ; peut-être même, à pousser les choses à l'extrême, le dégage-t-elle définitivement. Car une existence qui paraît vaine est peut-être la seule où la valeur de la personne puisse être manifestée en son fond ; en tout autre cas on serait exposé à ne saisir que la valeur d'un résultat extérieur (et non celle de la personne elle-même). La dialectique religieuse se heurte en ce point à la dialectique du monde : religieusement parlant, la vie contemplative représente la destination dernière de l'homme vers Dieu. Pour le monde, elle représente l'inutilité terrestre absolue. On pourrait presque dire que les tristes appels de la femme qui reste isolée et inassouvie dans ce monde font enten-

dre un écho fraternel au chant de gratitude qu'entonne l'épouse comblée du Christ. Le sens suprême et transcendant de la personne humaine ne resplendit qu'au prix de l'abstention complète de toute action efficace visible. Ici la pensée se heurte encore aux problèmes du temps présent : que signifie la personne pour ce temps ? Que peut-elle encore signifier pour lui ?

Ce serait un malentendu que de penser ici d'abord à la personnalité — la personnalité est une valeur élevée mais temporelle — ; la rédemption chrétienne ne se rapporte pas à elle mais à la personne. La personne est une valeur éternelle, et c'est seulement d'une valeur de cet ordre que l'histoire reçoit son sens et son but. S'il n'y avait pas de valeurs éternelles, l'histoire ne serait qu'une suite d'événements. De là la double importance que la femme représente pour l'histoire : l'importance de la mère qui transmet au cours des générations ces capacités actives de l'homme qui modèlent l'histoire, l'importance de la vierge qui sauve l'homme, en sauvant la personne, la capacité primordiale de vivre une histoire.

Le service de la virginité.

Quand on a pris conscience de l'importance religieuse des vierges, on a du même coup pris conscience de leur importance temporelle pour l'humanité. En sacrifiant son mariage et sa maternité pour maintenir la valeur unique de la personne, la vierge consolide en même temps le mariage et la maternité. Certes la vierge interrompt la génération pour affirmer la valeur suprême de la personne, mais, dans une autre perspective, elle consolide la génération ; elle la consolide précisément parce qu'elle proclame la valeur de la personne. Le mariage et la virginité sont associés dans le *mysterium caritatis,* ils le sont aussi dans le mystère de la personne : c'est la valeur de la personne qui fonde le mariage. Ainsi la personne n'a pas seulement une valeur propre, elle vaut aussi pour la génération. Si ces liens logiques sont, pour le commun des hommes, aussi méconnus qu'ils sont solides, il ne faut pas s'en étonner : c'est là encore un rappel de ce voile qui enveloppe tout destin féminin. Bien plus, sans ce voile, il leur manquerait leur dernier critère de vérité et le ressort intime de leur force, — car c'est de sources cachées que naissent les actions décisives ! Et ceci nous conduit à l'idée de la virginité comme force.

L'homme lui aussi, nous l'avons déjà vu, reconnaît pour lui-même l'importance de la virginité comme condition nécessaire à l'accomplissement des missions les plus nobles. L'économie de forces en un point permet ailleurs une dépendance plus considérable. En ce sens la virginité ne limite pas, elle transpose la puissance créatrice. Et, de même, la puissance d'amour de la femme, ne trouvant plus l'occasion de rayonner sur sa propre famille se reportera sur la grande famille humaine. La virginité connaît donc un processus de don de soi en tout point analogue à celui que la biologie nous a montré dans la maternité charnelle : la vierge qui ne peut plus exercer sa fécondité virtuelle dans la voie de l'enfantement la met au service de missions concrètes. La virginité rejoint alors la maternité spirituelle. Nous en parlerons en un autre chapitre, car la mère, même dans l'ordre spirituel, n'est pas liée au temps ; elle est extérieure au temps.

Au moment précis.

La virginité dispose à l'action, elle libère en vue de l'action. Le drame, c'est-à-dire la poésie de l'action, l'a bien compris : il préfère de beaucoup la figure virginale de la femme à la figure conjugale ou maternelle de l'épouse. Cette loi qui vaut pour l'œuvre poétique vaut aussi pour le poète lui-même. Antigone et Iphigénie sont vierges, mais Roswitha de Gandersheim et Annette de Droste-Hülshoff le sont également, en vertu de leur vocation poétique. Il est donc profondément juste que la femme dont la fécondité est restée vacante, se sente contrainte à collaborer à l'histoire et à la culture vivante de son peuple. C'est toujours au moment précis où son action devient nécessaire que la femme « entre en scène » : ce fait est caractéristique de sa collaboration. L'intervention personnelle de la femme sur le terrain de la culture est toujours un signe. Ici, de nouveau, la femme dans le temps nous apparaît un instant sous les traits de la Femme éternelle. Dire que « la femme entre en scène », cela équivaut à dire : son activité n'est pas à proprement parler une activité autonome, elle reste une offrande — elle n'est qu'une forme du *Fiat mihi !* Il en résulte encore que l'activité de la femme s'interrompt d'elle-même, dès qu'une détresse exceptionnelle cesse de l'exiger. Ce comportement confère aux services rendus par les femmes leur exceptionnel titre de gloire, méconnu la plupart du temps, et donc reçu sous le voile ; mais il en marque aussi les limites : l'importance de la femme dans la vie de la culture et de l'histoire ne peut se mesurer à ses rapports objectifs, — il faut chercher plus profond.

Dieu seul soulève le voile.

Du fait de sa virginité, la vierge partage le mystère de toutes les énergies apparemment gaspillées, de toutes les possibilités apparemment inaccomplies ; et dans la vocation à l'action elle partage encore le même mystère. Une fois de plus l'idée du voile nous permet de saisir pourquoi les œuvres des femmes, dans la grande majorité des cas, ne peuvent prétendre à la première place et doivent se contenter de la seconde, pourquoi elles n'ont épuisé que très rarement les profondeurs et les ressources de l'âme féminine au point de les faire apparaître comme un facteur autonome et proprement féminin de la culture. Ces œuvres, la plupart du temps, ne sont qu'adaptation à une exigence venue de l'homme, et cette adaptation les laisse au-dessous des œuvres originales que l'homme accomplit. C'est encore l'idée du voile qui fait comprendre pourquoi, là même où les œuvres des femmes atteignent réellement à l'originalité et à la grandeur, elles laissent, beaucoup plus que les œuvres des hommes, l'impression d'une vocation spéciale de la grâce. Parler d'une vocation spéciale de la grâce, du caractère « charismatique » d'un don ou d'un acte, ce n'est pas seulement les ranger dans la catégorie de l'extraordinaire, mais c'est surtout les situer dans la catégorie du religieux. Ce n'est donc pas par hasard que le génie proprement féminin se manifeste toujours dans les sphères religieuses : dans le siècle, seul un petit nombre de femmes peut être égalé à une Hildegarde de Bingen, à une Jeanne d'Arc, à une Catherine de Sienne. Aussi l'Église, qui réserve à l'homme les charges hiérarchiques, accorde-t-elle à la femme un rôle charismatique.

Une fois encore, le véritable éclairage de notre sujet est l'éclairage religieux. C'est à l'épouse du Christ que nous avons demandé le vrai sens de la virginité, c'est à la femme agissant par charisme qu'il faut demander de nous expliquer la femme de génie. Car c'est à Dieu seul qu'il appartient de soulever le voile qu'il a posé. — Mais en soulevant ce voile il ne fait qu'envelopper la femme dans un mystère plus profond encore. Le don charismatique, ce n'est pas une force reçue pour accomplir des œuvres personnelles, c'est l'anéantissement de la personne jusqu'à devenir l'instrument du Très-Haut. Nous parlions tout à l'heure d'une valeur de la personne indépendante de son action ; dans le cas d'une vocation charismatique, il faut parler d'une œuvre qui ne dépend plus de la personne, — le charisme même devient le voile qui recouvre la personne. « La femme entre en scène », cela veut dire que, sur un plan plus élevé, « la femme est appelée » — elle ne l'est, encore une fois, que dans les cas exceptionnels, dans les cas désespérés. La vocation éminente d'une femme est toujours une manœuvre suprême : on ne comprend la signification extraordinaire d'une sainte Catherine ou d'une sainte Jeanne que lorsqu'on sait qui, dans leurs missions, avait d'abord échoué.

Pilier invisible de l'histoire.

Seule une existence jugée sans valeur, à regarder les résultats pratiques, est susceptible de dégager la valeur ultime de la personne ; de même seuls les êtres qui n'y semblent pas voués sont capables de dégager le véritable sens d'une vocation. En eux seuls apparaît dans sa pureté le caractère de l'envoyé. L'on aperçoit ainsi pourquoi les plus grandes figures de l'histoire ont toujours paru à leurs contemporains, au début de leur carrière, insignifiantes ou inadaptées : leur importance n'est apparue que plus tard, parfois quand on s'y attendait le moins. Ceux qui valent dans l'humanité courent toujours le risque de faire apparaître la valeur de leurs œuvres et non celle de la personne ; à l'inverse ceux qui ont été appelés risquent toujours de prouver, non leur vocation, mais seulement leurs aptitudes, de s'achever eux-mêmes au lieu d'achever leur tâche. Mais toute grande œuvre contient toujours un « plus », qui ne dépasse pas seulement les possibilités de l'exécutant mais même ses intentions. Autrement dit, le reflet de la volonté créatrice de Dieu et celui de l'acte créateur de Dieu sont les critères véritables de toute grande œuvre et de toute grande action de l'homme.

Pour que cela soit manifesté, il faut parfois que l'être sans vocation reçoive une vocation, que le pilier invisible de l'histoire soit rendu visible. Tel est le sens symbolique de la femme chargée d'un charisme.

Si elle est choisie aux lieu et place de l'homme, c'est que, par nature, elle réduit plus facilement sa personne à n'être qu'un instrument de l'action divine, un vase que Dieu remplira. Porter un charisme, c'est être l'*ancilla Domini.*

Ainsi l'œuvre la plus prodigieuse de la femme, l'œuvre charismatique, n'outrepasse aucunement les limites du mystère féminin, elle reste dans la ligne de la coopération pure, dans la ligne de Marie. Il en résulte que la femme chargée d'un charisme peut entraîner avec elle à son niveau ses sœurs les plus cachées et leurs œuvres les plus humbles. Un rayon du mystère de la Femme Éternelle l'éclaire, à travers elle il éclaire aussi les autres — encore une fois voici l'idée de substitution : le dialogue fraternel de l'épouse du Christ et de la femme restée insatisfaite dans le monde se poursuit. Et puisque les œuvres de la femme, même charismatiques, gardent le caractère d'une pure coopération, on comprend ce fait mystérieux que les œuvres de la femme, sauf les œuvres charismatiques, n'ont jamais qu'une importance secondaire. La raison n'en est pas que la femme soit moins douée, elle tient à l'essence même des tâches féminines. Ce que nous avons dit de la valeur de la personne vaut ici encore : à pousser la pensée à l'extrême, c'est l'œuvre cachée qui manifeste le mieux le mystère féminin, qui fait saisir l'importance de la femme, non comme pilier visible, mais comme pilier invisible de l'histoire. La vierge, nous l'avons dit, représente la valeur de la personne, valeur définitive, indépendante de toutes les œuvres ; la femme, maintenant, représente la valeur définitive, indépendante du résultat, de l'appréciation, du succès, la valeur non pas seulement de tout talent, mais aussi de toute œuvre, — elle représente la réalité éminente en Dieu de ce qui reste inconnu, caché, apparemment vain. Mais par là même, semblable aux tombes solitaires d'une guerre perdue, elle sauvegarde le sens absolu de l'histoire, — par-delà le monde visible, elle sauvegarde l'invisible.

Le caractère nuptial de la culture.

La notion de coopération est riche d'autres développements. La doctrine de l'Église sur la virginité aboutit d'une part à la notion de l'épouse du Christ, et d'autre part à la notion de l'épouse de l'homme. Le même mystère qui environne le rite de la consécration des vierges environne aussi la messe de mariage. Une vieille prière nuptiale dit : « Seigneur notre Dieu, tu as voulu que dans la génération des sexes l'un procédât de l'autre par le *mysterium caritatis* ». Ce *mysterium caritatis* est ici compris comme une part du mystère de la création ; traduit en langue profane, il souligne le rôle créateur de la polarité sexuelle. Toute vie procède de la double action de ces pôles, le champ de forces qu'ils projettent vibre à travers tout l'univers. Le domaine de la création culturelle de l'esprit n'y échappe pas non plus. Il ne s'agit donc plus maintenant de l'œuvre personnelle de la femme, dans le domaine de la culture, mais de son action conjointe à celle de l'homme et de son rôle à l'intérieur même de l'œuvre de l'homme, il s'agit de l'insertion du *mysterium caritatis* dans le domaine de la culture de l'esprit, du caractère nuptial de la culture.

Le royaume de l'épouse.

Nous rencontrons d'emblée une difficulté apparente. A prendre strictement l'analogie de la création spirituelle avec la procréation charnelle, c'est à la femme encore que devraient échoir la conception et l'enfantement ; c'est par un acte maternel que la femme devrait intervenir dans le travail de l'homme. Mais le *mysterium caritatis*, dans la mesure où il constitue le mystère nuptial, n'est pas encore le mystère de la mère, il est celui de l'épouse, — entre la vierge et la mère se tient l'épouse. La vierge et la mère, unies dans le titre de la Femme éternelle, Marie *virgo mater*, forment, dans le paysage grandiose où le dogme marial situe la femme, comme les deux cimes de montagne entre lesquelles s'étend, pareil à une large, profonde et fertile vallée, le royaume immense de l'épouse, le royaume de la compagne de l'homme. Il s'agit donc d'explorer cette région autonome, de mettre en lumière ce fait important : chacun des trois types immuables de la vie féminine, la vierge, l'épouse, la mère comporte en lui-même l'accomplissement total du destin féminin, mais chacun d'eux précisément en réalise un type original. La contiguïté de ces types entre eux, leur transformation l'un dans l'autre, n'entraînent pas une dépendance telle que par exemple le rôle de la mère serait, à l'exclusion de tout autre, le rôle spécifiquement féminin. Le mystère de l'épouse conduit certes à celui de la mère, mais il représente aussi un aspect original du mystère féminin. L'Église en convient quand elle reconnaît la validité et l'indissolubilité des mariages sans enfant. Intermédiaire entre la vierge et la mère, l'épouse n'est pas seulement celle qui enfantera : comme épouse, elle est d'abord une personne ; le caractère sacramentel du mariage n'a pas pour seule conséquence de sanctifier la procréation, il lie deux personnes. La propagation du genre humain n'est pas seule en cause, mais aussi le salut qu'apporte à deux êtres leur amour réciproque, mais aussi la responsabilité que chacun assume vis-à-vis de l'autre dans leur route commune vers Dieu.

Le *mysterium caritatis* du mariage ne se rapporte pas seulement à la fécondité charnelle du mariage, mais aussi à sa fécondité spirituelle ; selon la doctrine de l'Église, l'homme et la femme ne sont pas seulement « une seule chair », ils sont aussi un seul esprit. Par un côté de son être l'épouse est la mère de demain, par un autre, elle garde non pas certes au sens physiologique mais au sens spirituel, un caractère virginal, — elle le conserve en tant qu'épousée. C'est l'épousée qui représente le mystère propre de l'épouse. Mystère particulier, mais aussi mystère permanent. Le peuple le sait bien, lui qui qualifie de « noces d'argent » les jubilés de mariage. Même quand elle est devenue mère la femme reste une épousée, toutes les fois qu'elle s'offre à l'amour de son mari. Ce serait déformer le mystère dans le sens du naturalisme, que de ne voir dans cette épousée que l'épouse encore vierge du jour des noces. Par rapport à l'homme qui l'aime, l'épouse reste toute sa vie l'épousée, toute la vie le jour des noces se renouvelle : la femme, toujours épousée, répond à cette merveille : l'amour toujours nouveau. Le caractère de vierge-épouse, que nous avons vu sur le front de l'épouse du Christ, projette aussi son reflet sur l'épouse de l'homme. Sur elle, perpétuelle épousée, nous voyons se pencher le visage de la Femme éternelle : Marie, qui n'est appelée que vierge et mère, est l'épousée du Saint-Esprit, mais elle est aussi celle qui, veillant avec les apôtres au matin de la Pentecôte, reçoit avec eux le Saint-Esprit. L'Écriture donne à l'Esprit-Saint les deux noms d'Amour et d'Esprit Créateur. Ce double titre éclaire le double caractère du *mysterium caritatis*.

Sur toutes, le mariage répand une lumière.

Nous saisissons une fois de plus comment l'Église a mis en valeur les points de vue essentiels. L'épouse du Christ touche au cœur du problème de la virginité et elle éclaire ce problème ; de même l'épouse liée par le sacrement fait voir le fond de l'idée conjugale. A sa suite nous apercevons la série innombrable des possibilités créatrices de l'homme et de la femme spirituellement unis : il y a l'épouse sans le lien sacramentel, il y a l'amie, il y a l'amante, il y a la compagne de travail. Sur elles toutes, le mariage répand une lumière. A l'ombre du sacrement, deux être humains sont l'un pour l'autre créateurs et sauveurs ; mais, dans le profane, deux êtres humains peuvent posséder une communauté de vie créatrice, une signification spirituelle réciproque absolument unique. Il y a, dans le siècle aussi, un *mysterium caritatis* qui est un mystère de création spirituelle entre l'homme et la femme, une épouse qui est l'épousée de l'esprit de l'homme. Nous rencontrons, puisque nous parlons de la culture, ces couples célèbres qui réalisent pour ainsi dire l'incarnation vivante de notre idée : Dante et Béatrice, Michel-Ange et Vittoria Colonna, Hölderlin et Diotima, Gœthe et Mme de Stein, Richard Wagner et Mathilde Wesendonk, pour ne nommer que les plus grands, nous montrent ici la voie.

Tu es entrée en moi par le regard
Et tu m'as contraint à développer ma puissance,

dit Michel-Ange dans un sonnet à Vittoria Colonna. Et, plus clairement encore, Hölderlin à Diotima :

Je te contemple tout étonné
J'entends comme dans les anciens temps
Des voix, un doux chant et des lyres,
Et notre esprit affranchi s'élève en flammes dans
[les airs.

Le *je* a fait place au *nous*. Le poète prend conscience de la création à deux, — le caractère de la création spirituelle comme vie, le caractère nuptial de la culture apparaît.

La femme tient dans le mystère spirituel de l'amour un rôle identique à celui qu'elle joue dans l'histoire de la culture : elle ne tire que rarement, du concours qu'elle fournit, le profit d'une création personnelle ; une Élizabeth Barrett-Browning avec ses *sonnets portugais* ou une Marianne Weber avec la monumentale biographie de son époux, sont des exceptions. La plupart du temps, la femme disparaît dans l'œuvre de son époux elle ne se laisse apercevoir que dans l'hommage qu'elle en reçoit. Marianne de Villemer fournit un bon exemple de cette disparition totale d'une femme richement douées dans l'œuvre de l'homme. Nous savons qu'elle a une part importante dans les vers du *Divan occidental-oriental,* plus importante que les traces de son inspiration personnelle que nous pouvons retrouver dans le détail. Mais il ne s'agit aucunement, au fond, de déterminer ainsi la participation active de la femme ; précisément la femme, la plupart du temps, n'exerce pas de collaboration active, et cette abstention révèle l'essence même de sa participation.

La moitié de l'être.

L'idée de l'épouse comme épousée de l'esprit de l'homme implique ceci : celle qui est « la moitié » de l'homme est, absolument parlant, la moitié de l'être. Pour la création spirituelle comme pour la procréation naturelle, il faut reprendre l'étonnante expression de la Bible : l'homme doit « connaître » la femme. Il connaîtra en elle la seconde dimension de l'être humain. Polarité dit totalité : la polarité réciproque des sexes est la condition de toute œuvre vraiment grande. Par là s'explique l'aveu d'abord presque effrayant de Hölderlin à Diotima :

Quand le dieu qui m'inspire
M'apparaît sur ton visage...

Ce qui « apparaît » sur le visage, au fond, ce n'est pas « le dieu » mais c'est la totalité de la création divine, c'est cette seconde part de l'être sans laquelle Dieu lui-même ne saurait inspirer de grandes œuvres ! Tel est aussi le sens profond de l'itinéraire de Dante à travers l'enfer et le ciel : c'est d'abord l'homme, Virgile, mais c'est ensuite la femme, Béatrice, la femme aimée de sa jeunesse, qui le conduit.

Mais il faut dire encore : cette seconde dimension de l'être ne s'affirme pas, elle s'offre à la connaissance. L'homme « connaît » la femme, mais la femme est connue dans l'attitude de l'offrande. Ici, dans l'ordre spirituel, nous ne trouverons pas la femme recevant la pensée de l'homme pour lui donner un développement ou une élaboration nouvelle ; cela peut se produire, mais ce n'est qu'une forme du *mysterium caritatis*, ce n'en est pas l'essence. Pas davantage il ne peut s'agir d'une variation féminine qui se ferait entendre sur un thème masculin, mais qui resterait un simple accompagnement. Au contraire, cette offrande est pour l'homme une révélation, un présent merveilleux : la femme qui fait à l'homme don de soi, peu importe sous quelle forme, lui apporte en dot la moitié d'un monde ! Et c'est dans cette offrande, qui est révélation, qu'elle prend part à l'activité créatrice de l'homme dans la culture. L'offrande est révélation, mais c'est une révélation cachée. Jusque dans l'au-delà, Béatrice ne vient à la rencontre de Dante que voilée...

La révélation qu'apporte la femme est si bien cachée que l'homme ne la reconnaît pas toujours comme la révélation du principe féminin : c'est moins la femme que sa propre image qu'il croit découvrir.

Je sais maintenant que je suis,

dit Hölderlin auprès de Diotima. Un être n'atteint sa propre image sous une forme saisissable qu'en accueillant l'autre en soi. Toute image a nécessairement sa place au sein du tout — on ne comprend l'essence de l'homme que par l'essence de la femme : la femme ne donne pas la totalité de l'être uniquement parce qu'elle en révèle la « seconde moitié », mais aussi parce qu'elle parfait la révélation de la première. L'homme ne connaît la femme que s'il l'approche avec un profond amour, et de même il ne se connaît lui-même tout à fait que s'il en est aimé. Tel est le sens de ce « miroir » que les poètes évoquent si souvent quand ils portent témoignage sur leur rapport essentiel avec la femme. C'est en ce miroir que Dante regarde, quand Béatrice lui demande de la reconnaître sur la montagne de la purification. Il faut encore en venir à ces pensées pour expliquer l'acharnement passionné des luttes qui s'engagent souvent pour une femme et pour son commerce spirituel : la personne spirituelle de la femme apporte avec elle un don incommensurable dont l'homme ne peut bénéficier que par elle. L'épouse se situe entre la vierge et la mère, elle se situe aussi entre la personne et la race, et elle franchit déjà la ligne qui les sépare. La vierge sauvegardait pour l'homme la personne, valeur suprême et solitaire de la culture : l'épouse assure à l'homme la collaboration d'une moitié du monde. Dans le domaine de la nature, elle libère l'homme de sa solitude ; dans le domaine de l'esprit, elle le libère des limites que lui impose la personne. C'est la présence du mystère féminin qui rend intelligible la part d'anonymat incluse dans toute grande œuvre.

L'homme qui crée n'est pas seul.

Nous retrouvons encore une fois l'association des deux motifs essentiels de la féminité : le motif de la coopération et le motif du voile. En d'autres termes, dans l'élément anonyme de la culture, nous reconnaissons le pilier invisible de l'histoire. La femme n'est pas l'auteur de l'œuvre, elle participe à l'œuvre. Mais avoir part à l'œuvre, c'est avoir part à la création. Certes, pour le démontrer, il faut une vue exacte sur l'essence de la création spirituelle. On peut objecter, avec une apparence de raison, que l'objet créé s'identifie au sujet qui le crée : la simple présence de la femme à l'intérieur de l'œuvre de l'homme ne saurait donc mériter le nom de participation créatrice. Mais ceci est une objection empruntée à l'époque du culte des grandes personnalités, qu'apparemment nous avons aujourd'hui dépassée. Notre génération ne croit plus qu'une création spirituelle, quelle qu'elle soit, puisse être attribuée à son créateur seul ; au contraire, c'est à nos yeux le caractère essentiel d'une création vraiment grande, qu'en elle mille courants viennent se confondre. C'est pourquoi, quand il s'agit des œuvres de l'esprit, nous attachons tant d'importance par exemple au paysage et au sol où elles sont nées. L'homme qui crée est l'interprète d'un chœur silencieux. Il ne fait pas que créer, il est aussi créé par ce chœur. Le vrai poète sait bien que l'objet exerce avec lui l'acte de poésie. Il connaît cette mystérieuse entrée de l'objet en lui, ces intelligences entre l'objet et lui, qui souvent confinent au merveilleux. Que l'on ne croie pas que le poète seul aime le poème, le poème aussi aime le poète ! Dante n'a-t-il pas écrit :

... Il arrive que l'artiste s'efforce en vain
De construire l'œuvre selon sa pensée ;
La matière reste sourde, sans réponse à ses appels...

La jalousie et la vanité de créer trahissent toujours chez un artiste l'absence d'un véritable génie créateur ; le vrai créateur n'accepte pas qu'on l'honore comme s'il était le seul principe de son œuvre. Il sait bien que la grandeur et la richesse de celle-ci dépendent de l'apport de beaucoup. Richard Wagner n'a pas voulu dire autre chose en prononçant son mot célèbre : « Peuple allemand, voilà ton œuvre et ton poème. »

De là encore les hommages souvent hyperboliques que précisément les très grands poètes ont rendus à la femme : ils sont l'action de grâce joyeuse de celui qui a pris conscience de n'être pas seul à créer ! Toute figure de femme profonde et vraie que l'homme introduit dans son œuvre confesse en définitive le *mysterium caritatis.*

Saint François avec sainte Claire.

L'événement créateur qui s'accomplit entre l'homme de génie et la femme se répète dans toutes les formes communautaires de la vie culturelle. A cet égard, l'histoire des ordres catholiques dans leur rôle de protagonistes de la culture — puisqu'il s'agit ici de culture — nous donne une grande leçon. La vibration spirituelle du *mysterium caritatis* environne les grandes amitiés religieuses d'un saint François avec une sainte Claire, d'un saint Jean de la Croix avec une sainte Thérèse d'Avila, d'un saint François de Sales avec une sainte Jeanne de Chantal, mais elle environne également les fondations attachées à leur nom. L'essence du *mysterium caritatis* n'est pas seulement l'amour, mais aussi la charité ! En tant que dépositaires de la culture, tous les grands ordres ont cherché et trouvé le complément d'un ordre féminin. Parce qu'il est louange de Dieu, l'*opus Dei* des Bénédictins donne le présupposé nécessaire et en même temps le sens de toute culture ; il n'eût jamais atteint son but, il n'eût jamais remplacé dans la louange la création entière si, dans le chœur qu'il rassemble, la voix de la femme avait manqué. L'idéal de saint François d'Assise, opposant à une culture corrompue à force d'exubérance une nouvelle spiritualité d'amour et de pauvreté, devait conduire l'ordre à accueillir la générosité et le renoncement de la femme. La vigueur mystique de saint Dominique trouve son plus bel accomplissement, non seulement dans l'édifice doctrinal de saint Thomas d'Aquin et dans la profonde spiritualité de Maître Eckhart, mais aussi dans l'action de sainte Catherine de Sienne.

Quant au Carmel, qui, au point de vue qui nous occupe, incarne la liberté intérieure de la culture et rend ainsi à celle-ci sa vraie place en la protégeant contre le danger de l'idolâtrie, le Carmel était d'emblée, en raison de son rapport mystique à Marie, fondé sur la participation de la femme. Les Jésuites eux-mêmes qui, pourtant, ne cherchaient pas à leur compagnie de répondant féminin, durent pourtant, contre leur gré, le trouver — pour autant qu'ils étaient les protagonistes d'une culture, la culture baroque, dernier chaînon de la tradition de l'Europe. Toutefois, comme Ignace l'avait bien prévu, aucune congrégation de religieuses ne put jamais fournir parfaitement ce répondant : les fondations féminines qui se rattachèrent à l'idéal d'éducation des Jésuites ne reproduisent que quelques-uns de leurs traits. Ce qui répond le mieux au moment fondamental de cet ordre qui n'est plus protégé par les murs du cloître, à l'engagement et à la disponibilité absolue de ses membres toujours isolés, c'est la femme chrétienne elle-même isolée dans un milieu laïque. Au Carmel, la femme exerçait silencieusement sa faculté de souffrance, cette fois-ci, toujours silencieuse, mais héroïque, elle défend le monde chrétien. Ainsi se perçoit encore dans cet ordre, si éloigné qu'il soit l'idéal familial du cloître, la vibration spirituelle du *mysterium caritatis.*

Toute relation même invisible.

Le même mystère environne encore les multiples communautés qui, dans la vie profane, réunissent l'homme et la femme en vue de leur travail ; puisqu'elles réunissent des hommes et des femmes, de telles communautés ne peuvent jamais se caractériser simplement par leur activité commune, mais elles comportent toujours un rapport à la totalité de l'être. Ce dernier rapport est bien certes le simple prolongement de la communauté dans le travail ;

précisément, il ne fait que l'achever. Toute relation, même invisible, entre l'homme et la femme a, sous cet aspect de la totalité, une importance bien plus grande que toutes les communautés exclusivement masculines ou exclusivement féminines. Le sens de ces dernières se laisse définir par un but : la mise en œuvre, presque toujours par la lutte ou par l'éducation de soi-même, de certaines idées. Leur point de vue est trop limité pour influencer la culture, il risque de la stériliser par son exclusivisme et son étroitesse. Même les quelques grandes créations culturelles qui sembleraient donner à penser le contraire n'ont pas échappé entièrement à ce danger : ne voit-on pas que leur influence se restreint à des cercles choisis ? Du moment qu'on choisit, l'universalité fait défaut. Il y a sans doute des œuvres de valeur, hors du champ de forces que projettent les deux pôles de l'être humain, mais il leur manque la totalité ! Toutes les époques vraiment florissantes de la culture se sont appuyées sur les forces issues de la double polarité de l'être. La grande époque allemande des génies se situe ici dans la même ligne que l'époque d'Othon le Grand, qui fut particulièrement ouverte à l'influence féminine, même si celle-ci restait limitée à un petit nombre de femmes appartenant aux milieux princiers. C'est d'une tout autre façon que l'influence de la femme s'est exercée sur le Haut Moyen Age : sa domination se faisait sentir dans tous les domaines de la morale et de la culture. Par la distinction qu'il faisait entre l'« amour » et l'« amour courtois », Walter von der Vogelweide nous en a laissé le témoignage immortel. Mais on retrouve aussi à cette époque une influence féminine limitée à des milieux déterminés. Ces époques marquées par elle représentèrent pourtant toujours des époques de culture florissante, alors qu'on observe un déclin immédiat de la culture dans les époques orientées exclusivement vers les valeurs masculines.

A l'inverse, certaines dépravations font comprendre des exclusivismes passagers, comme celui des « ligues masculines », nées d'une époque sans héroïsme. Ces dépravations consistent en cela que l'un des deux pôles prétend s'affirmer seul ; leur résultat condamne immédiatement aussi bien l'homme efféminé que la femme masculinisée. Les ligues masculines n'élèvent certes pas le niveau de la culture ; bien au contraire elles créent le climat où peuvent se produire des manifestations de la culture absolument étrangères à sa double polarité. Une des tâches principales de notre époque consiste à trouver des possibilités nouvelles de culture à partir d'une compréhension nouvelle de l'homme et de la femme. Ces possibilités nouvelles rencontreront d'abord le donné de nature : le mariage, l'amitié, le travail en commun. Mais il faut bien voir qu'elles devront satisfaire à un autre besoin : celui d'un nouveau style de vie sociale. La grande époque allemande des génies puisait précisément sa force dans ce domaine aujourd'hui devenu stérile. Il faut retrouver l'accord indissoluble entre le style de la vie et le style créateur. Or, c'est la rencontre entre l'esprit de l'homme et l'esprit de la femme qui confère son importance spirituelle à la vie « en société ». Herder décrit une telle rencontre, quand Angelica Kaufmann lui apparaît au milieu de la société romaine comme « une grâce pudiquement silencieuse, semblable à l'harmonie qui règle l'accord de la nature et de la société des hommes ».

A tous les niveaux de l'être humain.

Bien entendu, cette révélation essentielle du mystère féminin dépend dans son contenu de la qualité des êtres en présence : l'être à qui la révélation est faite et l'être qui est révélé ; les virtualités de cette révélation s'étendent donc à tous les niveaux de l'être humain. Malgré l'abîme qui les sépare, la Béatrice de Dante et les démons femelles de Strinberg représentent la même totalité de l'être, ici dans la lumière, là dans l'ombre, l'une sur la route du paradis, les autres sur celle de la damnation infernale. Autrement dit, le *mysterium caritatis* entre l'homme et la femme peut dégénérer en un mystère d'iniquité. Mais même alors, du point de vue de la création culturelle, il reste fécond : seulement la création qui en procède est marquée d'un caractère destructeur. De là l'immense responsabilité qui s'attache aux rapports de l'homme avec la femme. On ne la saisit qu'à moitié quand on n'y veut voir que l'aspect moral de la procréation : ce qui vaut pour la naissance physique d'un être vivant vaut aussi pour la naissance de ce vivant qu'est une œuvre. C'est précisément là le point décisif où la responsabilité de la femme dans la culture est pleinement engagée. Sublime ou basse, l'image que l'homme créateur se fait et exprime de la femme n'est jamais que l'image que la femme lui a d'abord proposée.

Une ligne de force qui chemine en secret.

Ainsi la position que nous avons choisie pour aborder le problème de la femme dans le temps n'est pas absolument juste ; telle est la conclusion qui se dégage de toutes les réflexions qui précèdent. Nous avons pris comme point de départ une culture essentiellement masculine dans ses manifestations formelles, mais l'essence de la culture est comme celle de toute la vie, elle est donc soumise aux lois de la vie, c'est-à-dire à l'action commune des forces complémentaires qui traversent tout l'univers. C'est même de ce seul point de vue que l'essence de la culture, en tant qu'elle est une vie spirituelle, peut être définie.

Les peintres et les sculpteurs voient les principales branches où s'épanouit l'activité de la culture : la philosophie, la poésie, la plastique, la culture elle-même sous l'aspect d'allégories féminines ; ils s'accordent en cela avec la langue, qui, chez les peuples de grande culture, les nomme au féminin. Par là s'exprime l'idée de coopération avec une réalité objective : il y a une ligne de force féminine qui semble cheminer en secret, dans ces divers domaines de la création culturelle, pour s'orienter vers l'homme. Autrement dit, consciemment ou non, l'homme se trouve dans tous ces domaines en rapport direct avec la totalité de l'être. A l'inverse, il paraît significatif que dans les domaines de la culture qui sont encore matière à de violentes discussions, dans le domaine où l'esprit élabore des constructions systématiques et unilatérales, on utilise des vocables masculins : tous les mots en « isme ». Quand l'homme a forgé ces entités, il s'y est senti seul et il les a désignées d'après son propre sexe. Peut-être peut-on partir de là pour tracer les limites de la culture créatrice entendue au sens de la culture vivante. Il est clair qu'elle se développe en plénitude là seulement où elle peut encore étreindre la totalité de l'être, là où le *mysterium caritatis* est encore compris et conçu. Au-delà, on pourra certes rencontrer encore des œuvres étonnantes, mais ces œuvres confinent déjà à un autre règne ; elles ne sont plus, au sens fort, des créations organiques, procédant de la totalité des forces dans leur polarité complémentaire, mais le grand fleuve de la culture y commence déjà à se hâter, en cascades tumultueuses, vers les nouveaux rivages où il n'y aura plus besoin de mystère.

L'humilité de la créature.

Une nouvelle constatation s'impose ici : la présence de l'élément féminin signifie, nous l'avons dit, la présence cachée d'un élément secourable, d'une aide, d'un service. A la femme appartient aussi l'élément du respect. Définir les limites de la culture vivante par la présence du *mysterium caritatis* équivaut à les définir par le respect. Le thème du respect c'est, sous un autre nom, le thème du voile. La civilisation, elle, est tout entière visible ; au respect se substitue la volonté de dominer. La civilisation ne connaît pas la coopération, elle ne connaît que l'utilisation de forces enchaînées et privées d'âme. Tracer la limite de la culture là où la féminité disparaît revient nécessairement à l'arrêter là où disparaît l'élément religieux.

L'élément religieux, redisons-le, ne signifie pas l'être divin, mais le culte rendu à Dieu. Il est donc en premier lieu humilité. Le monde actuel a coutume de se cabrer devant l'humilité qu'il prend pour le sentiment de l'indignité. Cela vient d'un contresens. Le contraire de l'humilité n'est pas la dignité, mais l'orgueil, qui est une surenchère à la vraie dignité de l'homme, surenchère poussée dans le sens de ce qui est indigne de l'homme. L'humilité est la dignité telle qu'elle appartient à l'homme : ce qui, pour l'homme naturel, est l'action et l'œuvre de la créature, n'est plus, pour l'homme religieux qu'une simple participation de la créature à l'action et à l'œuvre d'un Autre. On comprend alors dans sa profondeur l'enthousiaste aveu d'Hölderlin :

Quand le Dieu qui m'inspire
M'apparaît sur ton visage...

Les aptitudes de l'homme à créer souverainement ne sont qu'une part de la réalité créatrice — l'autre part est l'humilité. Il faut qu'apparaisse la seconde dimension de l'être ; cela revient à dire que doit apparaître l'humilité de la créature — c'est à cette condition que le Dieu apparaîtra à l'homme créateur — le Dieu crée toujours, inéluctablement, à partir des deux sphères de l'être. Quand l'homme se rend compte de la collaboration que lui apporte la femme comme épouse de son esprit, il expérimente du même coup que sa propre activité créatrice n'est qu'une collaboration à l'œuvre de Dieu, seul créateur.

L'anonymat de Dieu.

Ces considérations permettent de mieux comprendre ce que nous avons appelé l'élément anonyme, présent dans toutes les grandes œuvres de la culture. Si les noms des grands architectes de nos cathédrales romanes, la plupart du temps, ne nous ont pas été transmis, ou si, quand ils l'ont été, ils ne font que désigner une personnalité dont nous ne savons plus rien, ce n'est pas que le Moyen Age n'ait pas eu le sens des traditions concernant les personnes, c'est bien plutôt qu'il a eu conscience de ce mystérieux « plus » que toute grande œuvre contient toujours par son côté transcendant et qui dépasse la personne physique de son auteur.

Les cathédrales étaient bâties pour la seule gloire de Dieu ; leurs bâtisseurs eurent conscience qu'elles étaient aussi, pour ainsi dire, bâties par Dieu. Avant que l'homme pût les édifier, il fallait que Dieu édifiât en l'homme leur image. L'anonymat des grands maîtres d'œuvre fait suivre à l'homme les voies de la femme ; comme elle, il perd son nom devant Dieu. Il possède dans cet anonymat l'envers de sa capacité créatrice : la splendeur des cathédrales nous fait enfin découvrir la vraie et dernière signification de l'anonymat. Si nous n'y voyions jusqu'à présent que le signe d'une collaboration, il s'y dévoile maintenant le caractère d'une co-création. La splendeur des cathédrales nous signale aussi un autre mystère : la création tout entière, qui d'une part annonce la puissance créatrice de Dieu, néanmoins d'autre part la cache sous un voile. Dieu est un Dieu invisible, un Dieu absolument silencieux et caché ; il reste comme anonyme dans ses œuvres. C'est en ce sens qu'il faut comprendre ce que nous disions plus haut : participer à une œuvre c'est participer à la création. Coopératrice cachée, la femme représente l'anonymat de Dieu ; elle le représente dans la mesure où elle constitue l'une des faces de l'activité créatrice.

L'homme peut, lui aussi, participer à cet anonymat, il le fait chaque fois qu'il suit les voies de la femme ; seule la conjugaison des forces anonymes et des forces identifiables donne la totalité de la puissance créatrice. L'immense importance de l'action anonyme, qui a déjà été reconnue dans l'ordre profane, ne trouve toutefois son fondement que dans une raison religieuse. Nous retrouvons encore une fois, et en son sens le plus profond, le double caractère du *mysterium caritatis*, nous comprenons pourquoi il environne aussi bien la messe de mariage que la consécration des vierges ; l'épouse de l'homme, elle aussi, garde la vocation d'une épouse du Christ. La signification de l'anonymat dans la culture créatrice est liée à la signification religieuse de la femme. C'est ce que Léon Bloy exprime en disant : « Plus une femme est sainte, plus elle est femme. » Dante y pensait également dans cet étonnant passage de son poème, où il contemple Béatrice, laquelle tient son regard fixement tourné vers Dieu. Ce n'est pas le divin que Dante voit dans la femme, mais c'est bien Dieu, parce que la femme le contemple. La femme qui, dans l'ordre terrestre, horizontalement, signifie en premier lieu le rassemblement de toute la création, signifie encore, verticalement, le regard vers le Créateur. La totalité dans l'ordre créé se réfère, au-dessus de soi, à la totalité surnaturelle. Le masculin seul ne suffit pas, mais l'humain non plus ne suffit pas. La coopération de Dieu avec l'homme fait seule jaillir cette totalité définitive et capable de tout intégrer, qui est la condition de toute grande œuvre. Mais ce qui vaut des œuvres de la culture vaut naturellement aussi de la culture en soi. La seconde des questions que nous posions au début de ce chapitre se résout alors : l'élément religieux n'est pas l'impuissance ; il est au contraire le ressort caché de toute culture.

Quand l'homme n'annonce plus que soi-même.

Conséquence inéluctable : rien n'entraîne plus sûrement la décadence de la culture que son orientation exclusive vers ce monde. Les facultés créatrices peuvent se développer, elles peuvent aussi s'étioler. Le sens de la totalité, d'abord saisi dans le contenu d'une œuvre, détermine aussi la forme où elle s'exprimera et donne à cette forme sa grandeur. Tel est le paradoxe de la culture : une culture qui ne cherche qu'elle-même, une culture qui n'est que de ce monde s'effondre, tandis qu'une culture qui se réfère à un au-delà obtient la consécration d'avoir vaincu le temps, elle parvient pour ainsi dire à participer à cette éternité vers quoi l'oriente le caractère religieux de ses créations.

Le double caractère de la totalité entraîne encore que l'infidélité au *mysterium caritatis* est elle-même toujours double. Les choses sont indissolublement liées. L'homme créateur qui ne rend plus hommage à Dieu n'annonce plus que soi-même ; il lui faut donc, dans la pratique, éliminer de son activité culturelle les valeurs féminines en même temps que les valeurs religieuses. Quand l'homme revendique la culture pour lui seul, il brise la totalité de l'être, aussi bien sous l'aspect de l'immanence que sous celui de la transcendance.

Ces réflexions jettent une lumière nouvelle sur le fait que le déclin d'une culture coïncide toujours avec une défaillance morale. L'adultère et le divorce ne sont que des formes secondes de la séparation entre l'homme et la femme ; ils sont en rapport immédiat avec la dissociation du couple dans l'ordre de l'esprit, non seulement parce qu'ils proposeraient à l'art des sujets dissolvants, mais en un sens beaucoup plus profond. L'adultère donne force de symbole, le divorce force de loi à la trahison vis-à-vis du *mysterium caritatis*. Quand l'homme revendique la culture pour lui seul, il répudie en quelque sorte l'épouse de son esprit, exactement comme il délaisse, dans l'adultère ou le divorce, l'épouse de sa vie. Dès lors il reste seul. La culture entre dans une de ces périodes fatales et stériles de morcellement qu'un passé récent flétrissait du nom d'individualisme, sans en reconnaître, assurément, les causes profondes. L'isolement de l'individu, qu'il déplorait et condamnait à juste titre, n'était que la conséquence d'une rupture fondamentale du monde, la dernière vague déjà amortie d'un raz de marée d'une ampleur incommensurable.

La culture exclusivement masculine ne se contente pas, pour caractériser les époques où elle règne, d'en exclure tous les traits féminins. Elle fait plus et substitue à la foi dans les puissances cachées la confiance en ce qui se voit : la force dans le domaine de la matière, la publicité dans le domaine de l'esprit. Bien plus encore, elle exagère ce qui est proprement masculin et déforme les traits de l'homme resté seul. L'absence de l'une des deux parts de la réalité provoque toujours — conséquence fort importante — une altération dans l'image de l'autre.

Quand je suis à toi, alors enfin je suis
[entièrement à moi,

a écrit Michel-Ange dans un sonnet à Vittoria Colonna. L'exagération des traits masculins dans l'ordre de la culture est l'expression négative de cette vérité. Une image n'a de sens et de valeur qu'à l'intérieur d'un ensemble. Ces époques mêmes qui excluent la femme de la culture confessent donc au fond, de façon négative mais très frappante, que justement elles ont absolument besoin de la femme.

La femme répudiée reste épouse.

Aussi bien l'exclusion de la femme ou simplement sa mise à l'écart ne signifient-elles jamais la véritable catastrophe, si elles sont provoquées par le propos délibéré de l'homme ; les desseins masculins ne modifient ici que les faits, ils n'atteignent pas les essences. Même l'épouse répudiée reste l'épouse et, une fois répudiée, elle revêt une signification immense, car — parce qu'elle est épouse — elle reste toujours dans le cadre des ordonnances éternelles qui commandent la vie de la femme, qui la font « moitié » de l'homme. Le sacrement de mariage qui est la forme la plus haute et l'authentique consécration du *mysterium caritatis*, fait apparaître son irréductible caractère de grandeur et de sainteté précisément quand le mariage est le plus menacé : la femme répudiée reste épouse, elle reste la moitié de l'homme, — parce qu'elle l'est devant Dieu. L'indissolubilité du lien sacramentel ne fait que refléter encore le rôle imparti aux sexes dans le cosmos ; elle signifie — métaphysiquement parlant — l'impossibilité de disjoindre les deux sphères complémentaires de l'être : elle signifie cette donnée première : Dieu a irrévocablement posé la féminité comme l'une des moitiés de l'être.

Du fond de leurs âmes inassouvies.

Toutefois l'homme ne répudie pas la femme sans que la femme n'en soit en partie responsable, et la femme qui enfreint les ordonnances divines qui la concernent est bien pire que l'homme qui pèche spirituellement contre le *mysterium caritatis*. Nous avons beaucoup à apprendre à cet égard de l'explosion du mouvement féministe telle qu'elle se produisit au cours des dix premières années de notre siècle. Il convient d'abord de constater que cette explosion était le résultat d'une brisure profonde qui atteignait déjà la femme en son être même. Dans une large mesure la famille avait déjà perdu sa cohésion religieuse et du même coup la femme avait perdu son vrai royaume, celui qui seul pouvait offrir, même à la célibataire, la possibilité de connaître l'accomplissement total, en laissant ouverte pour elle la perspective des valeurs dernières. L'explosion du mouvement féministe fut une explosion spirituelle (de ce point de vue, nous pouvons éliminer les motifs secondaires d'ordre économique) ; la sottise et l'étroitesse d'esprit de la famille bourgeoise ont déterminé cette explosion. Du fond de la misère de leurs âmes inassouvies, les femmes de cette époque-là criaient vers l'esprit et un moyen d'exercer leur capacité d'amour. C'est ce qui fait leur tragédie. Elles cherchaient, comme femmes, à partager des responsabilités dans le monde de l'homme, hors des cadres de la famille qui ne pouvaient plus ni les accueillir ni les accomplir.

La misère commune.

Mais en face de la sottise et de l'étroitesse de la famille bourgeoise, elles trouvaient une famille du peuple et une famille des peuples, détruites elles-mêmes dans une large mesure par la rupture des liens religieux. Cette destruction coïncidait avec des devoirs nouveaux, d'une gravité inouïe, qui s'imposaient pour assurer l'existence elle-même et la culture. Au milieu des misères et des luttes, intérieures et extérieures, qu'avait engendrées le déracinement spirituel et matériel des individus et des masses, la femme s'est jetée pour apporter son aide. Ce fut donc par l'expérience de sa propre misère qu'elle découvrit la misère commune ; elle découvrit — et cela restera une page glorieuse de son histoire — cette idée qu'elle participait à la responsabilité sociale. Le partage des responsabilités, comme presque toutes les grandes idées vivantes de notre époque, est un héritage de la religion et du christianisme. Nous avons déjà reconnu dans la substitution sa forme primordiale et consacrée. Le rapport entre ces deux notions est sans doute aujourd'hui à peine perceptible, il fait néanmoins comprendre l'impulsion authentiquement féminine qui a donné naissance au mouvement féministe ; mais l'on comprend immédiatement aussi pourquoi cette impulsion n'a donné que des résultats bien inférieurs aux espoirs mis en elle. Le destin du mouvement féministe ne représente qu'une fraction du destin de son époque. Ce fut un destin inévitable. Au lieu de reprendre les fondations de la vie en commun, on a essayé d'étayer les murs extérieurs de l'édifice. Que déjà la question sociale ait été posée comme une question indépendante, cela suffit à montrer la déchéance de la culture : ce n'est pas en partant du social qu'on peut mettre en ordre le social, mais en partant de l'esprit. Au lieu de reprendre et de poursuivre le grand courant culturel qui sous-tend le problème de la communauté, on se battit autour de questions de détail et de surface ; au lieu de sauver avant tout l'esprit, on se crut obligé d'assurer d'abord ses conditions d'exercice. Au fond de cette détresse commune que la femme rencontrait dans le monde, se retrouvait la même détresse qui l'avait, elle, chassée de la famille. Dans le spirituel comme dans le social, la femme pouvait bien, certes, engager toutes ses forces : mais qu'elle engageât son essence, dans la famille ou dans le monde, cela ne pouvait dépendre, encore et toujours, que d'une chose : son attitude à l'égard de l'ordre éternel de l'être.

A la place du mystère, la discussion.

La femme ne peut engager son essence féminine qu'en portant le signe de cette essence ; le signe de la femme est le voile, ce voile qui désigne l'épouse. La femme qui reste soumise à l'ordre éternel ne peut prétendre qu'à un seul rôle culturel : être épouse de l'esprit masculin. Mais le sens des ordonnances éternelles était déjà perdu ! L'altération universelle de la vie de l'esprit devait entraîner l'altération de la communauté d'être entre l'homme et la femme. A la place de l'échange vivant des forces vint l'organisation ; à la place des liens de la nature et de la loi divine, vinrent les liens de la convention, à la place du mystère vint la discussion. L'intimité de « l'un pour l'autre » devint l'affaire de « l'un et l'autre » quand elle ne dégénéra pas en hostilité de « l'un contre l'autre ».

L'essor du mouvement féministe a coïncidé avec l'invention de ce mot insensé : la « lutte des sexes ». Ce serait une erreur et une injustice profondes que d'en rendre responsable le féminisme ; mais même dans les domaines où cette lutte n'a été ni voulue ni conduite, le féminisme a créé une zone dangereuse.

Le déchaînement de la féminité.

Et pourtant ce n'est pas dans la voie du refus de soi que la femme courut alors les plus grands dangers, mais bien dans le sens opposé. Cette pensée : « plus une femme est sainte, plus elle est femme », vaut encore naturellement quand on la retourne : moins une femme est sainte, moins elle est femme. Le rôle de la femme, en *toutes* circonstances, est irrévocablement lié à son caractère religieux. L'analogie d'une élévation presque effrayante que l'Église pose à propos du mariage en le disant semblable à l'union du Christ et d'elle-même, veut, en définitive, pénétrer la femme de l'idée que l'épouse de l'homme elle aussi doit être épouse du Christ, qu'elle appartient à Dieu. De ce point de vue seulement, la célèbre parole de saint Paul sur la soumission de la femme à son mari prend tout le sens dont elle est capable : précisément parce que ce précepte exige, au sens religieux du mot, la soumission, il garantit à la femme la liberté intérieure dans le don de soi : la conscience d'appartenir à Dieu doit la protéger d'elle-même ! Car la femme n'est pas seulement exposée à refuser le don de soi, mais elle est aussi exposée à l'exagérer : le *mysterium caritatis* lui aussi peut dégénérer. On peut toujours craindre que la femme ne se donne à l'homme avec excès quand le lien qui l'unit à Dieu est rompu ou relâché. Tout se passe alors comme si le rapport exclusif de la femme à l'homme absorbait la part de Dieu. Entre la femme et l'homme s'étend alors le même désert sans horizon, où nous avons déjà reconnu le danger mortel de la culture orientée vers ce monde — cette culture n'est elle-même qu'une manifestation dégénérée du *mysterium caritatis*. Détaché des liens éternels, on ne perd pas seulement les réalités éternelles, mais aussi les réalités temporelles. C'est dire, pour en revenir à la femme de la génération précédente, que des excès qu'on fut d'abord tenté d'attribuer à la masculinisation de la femme, s'avérèrent à meilleur examen être le déchaînement de la féminité. Il y a aussi une forme d'humilité chez la femme qui trahit l'homme et qui le livre à sa propre démesure ! La femme qu'on prétend « masculinisée », ne représente qu'une variété particulière de la femme qui a cessé de se donner à l'homme selon l'ordre divin. L'ordre divin, valable en tout lieu et en toutes circonstances où l'homme et la femme sont en présence, n'est autre que le *mysterium caritatis* dans toute sa profondeur de don et d'acceptation réciproques. La femme qui a cessé de se donner à l'homme selon l'ordre divin n'a que deux issues : se refuser à l'homme ou tomber au pouvoir de l'homme.

Un rouage dans la machinerie masculine.

Que l'on compare à la femme dite masculinisée l'héroïne classique des romans de la même époque, et l'on reconnaîtra aussitôt une tendance identique. (Il n'est pas jusqu'aux femmes restées au sein de la famille qui n'offraient souvent les mêmes traits !) L'une se livrait à l'homme, dans le monde des sens, jusqu'au dégoût et la nausée ; l'autre, s'adonnant sans réserve et sans retenue à des activités spirituelles, trahissait tout autant le *mysterium caritatis*, car elle trahissait les forces et les possibilités d'engagement qui appartiennent en propre à la femme. Cherchant à entrer dans le monde spirituel de l'homme, elle s'est vue réduite aux méthodes de l'homme ; cherchant dans le monde social une place pour déployer ses propres possibilités, elle s'est laissé fixer comme un rouage dans la machinerie masculine, — elle a succombé, comme femme, deux fois plus fatalement aux mêmes limitations, aux mêmes erreurs, aux mêmes périls dont l'homme souffrait ! L'échec tenait donc moins aux buts du mouvement féministe et aux situations créées par lui qu'au caractère d'une époque qui jusque dans sa vie spirituelle ne connaissait plus ni liens absolus ni fins dernières.

La réciprocité s'évanouit.

On pressent déjà l'issue. De nouveau, un coup d'œil sur la littérature du même temps nous oriente : les histoires d'amour et de mariage de ses romans se terminent avec une monotonie désolante par la faillite de l'amour et du mariage. A l'homme qui par l'infidélité ou le divorce repousse l'épouse répond la femme qui détruit l'amour et le foyer. La femme livrée à l'homme ne se donne plus, elle se vend, — elle n'a d'ailleurs plus rien à donner, elle n'est plus la moitié de l'homme, elle cesse d'être en tant que femme. Du moment où elle se rattache exclusivement au pôle masculin, elle se détache du sien. Toute la réciprocité du *mysterium caritatis* s'évanouit et, avec elle, la fécondité. L'élimination de la femme dans l'activité spirituelle de l'homme et l'effondrement de tels foyers présentent les mêmes enchaînements.

Entre l'explosion du mouvement féministe et l'époque actuelle se situe la domination de ce qu'on appelle le « Troisième Reich ». Il est une provocation particulièrement grossière à l'égard de la signification de la femme ; on peut même sans se tromper la qualifier de négation inégalable du « mysterium caritatis ». Le type d'homme qui dominait alors représente le modèle de ces gens pour qui l'autre moitié de l'être n'existe pas. L'objection consistant à dire que des femmes de cette époque aussi se sont mises à son service ne tient pas. Ces lignes sont très loin de vouloir attribuer la seule responsabilité à l'homme. En dernière analyse le phénomène de beaucoup le plus monstrueux est vraisemblablement la femme qui s'est mise à la disposition des anciens détenteurs du pouvoir. Dans la perspective du *mysterium caritatis* le Troisième Reich représente l'époque douloureuse qui ne reconnaissait plus le mystère de l'amour comme le principe véritablement créateur.

Des mains de femmes.

Aujourd'hui le mouvement féministe a atteint dans une large mesure ses objectifs : nous sommes affrontés non plus à sa lutte mais à ses résultats. La femme trouve à s'insérer de la façon la plus heureuse dans de nombreuses professions, autrefois accessibles seulement à l'homme ; que ce soit comme professeur, comme médecin, comme avocat, comme assistante sociale, comme professeur de faculté même, elle peut accomplir des tâches qui demandent notre estime et notre reconnaissance, tout en constituant un complément de l'activité masculine. Mais, comme tout progrès humain, celui-ci est destiné, lui aussi, à entraîner certaines conséquences tragiques : depuis que l'évolution dont nous parlons a réussi à s'imposer, on manque, dans une mesure croissante, de forces prêtes à se dépenser dans les professions spécifiquement féminines à l'origine. Dans les ordres catholiques voués au soin des malades, dans les établissements de diaconesses ou à la Croix-Rouge, on ne peut pas ne pas entendre la plainte qui s'élève au sujet du manque de femmes disponibles et aimantes ; la plupart des maîtresses de maison et des mères de famille surchargées de travail ne trouvent pas non plus de mains secourables qui veuillent s'adonner au beau travail domestique, qui fut le premier travail de la femme. Il y a ici sans aucun doute un facteur qui contribue à expliquer le déclin de la culture. Aucun savant, aucun artiste ne peut remplir sa mission si des mains de femmes dévouées ne prennent soin de sa vie quotidienne ; aucun médecin, si génial fût-il, ne peut guérir ses patients s'il lui manque l'infirmière sur qui il peut compter ; aucune vie de société ne peut prospérer, aucun foyer constituer un lieu d'intimité, si les soins discrets de mains féminines serviables lui font défaut. Seule la femme peut réussir à assouplir la tendance à l'impersonnel, le froid schéma de la seule organisation, dont souffre notre existence actuelle. Mais à vrai dire, en échange de l'exigence posée ici à l'égard de la femme, il faut poser la suivante à l'égard de l'homme : qu'il soit juste, en procurant à la femme dont il recherche l'aide les facilités et compensations qui sont réclamées par la vie. Combien de femmes, qui pouvaient autrefois dépenser leurs forces à leur gré, sont maintenant obligées de subvenir aux besoins de leur famille.

Conjurer la terrible menace.

De l'absence largement répandue de la femme dans les professions féminines à l'origine résulte la constatation suivante : dans une large mesure la femme actuelle n'est plus celle dont parle ce livre. N'est-il pas symbolique que même le long voile ondulant jusqu'à terre de l'épouse ait cédé la place à un simple soupçon de voile qui ne descend que jusqu'aux épaule ? De même nous ne rencontrons la veuve entièrement voilée que devant la tombe ouverte, tout au plus : la vie moderne, la rapidité de son rythme, son activité — peut-être aussi une certaine répugnance à se mettre en face de l'ultime sérieux de l'existence humaine — ne permettent plus de s'envelopper du voile de crêpe solennel qui marquait autrefois l'année de deuil. Seule la religieuse, en tant qu'épouse du Christ, a conservé le voile de mariée, bien qu'elle aussi devienne une figure chaque année plus rare.

Et nous nous heurtons de nouveau ici à l'aspect proprement tragique qui accompagna l'explosion du mouvement féministe, et qu'il partage avec notre époque prise dans son ensemble. Ce n'est plus un secret qu'il y a des chrétiens, certes, mais que le christianisme ne représente plus guère une puissance capable de marquer de son empreinte la vie du plus grand nombre. Rien ne le prouve de façon plus terrible que la suppression de toute humanité qui se fit jour dès la seconde guerre mondiale, et la préparation, ou du moins la menace d'une troisième, qui met en question l'existence de la dernière lueur d'un sens religieux et chrétien de la responsabilité ; et cela dans des pays qui reconnaissent encore en principe la culture chrétienne, qui l'écrivent même de temps en temps de façon inopportune sur leurs drapeaux. Seule une conduite axée sans réserve sur l'amour de Dieu et du prochain, celle qui fut commandée par l'Évangile au chrétien même à l'égard de l'ennemi, pourrait encore nous sauver, et il est vraisemblable qu'elle seule serait encore capable de surmonter les tendances athées. Il est connu que l'anéantissement d'Hiroshima est responsable pour une large part du scepticisme du monde oriental à l'égard non pas du christianisme, certes, mais en tout cas des chrétiens.

Et nous arrivons à l'image actuelle et à la prochaine image de l'avenir de la femme, c'est-à-dire que nous nous heurtons à la limite qui lui a été assignée dès l'origine. Il est refusé jusqu'à nouvel ordre, et vraisemblablement pour toujours, à la femme d'intervenir de façon visible dans les grands événements de la vie des peuples : en face des décisions politiques, toutes les organisations féminines, si bien intentionnées soient-elles, font preuve de carence. N'est-il pas caractéristique de voir quelle faible opposition la femme manifeste à l'égard de la menace d'extermination que représentent les armes actuelles, et avec quelle facilité on n'écoute pas cette opposition lorsqu'elle se manifeste ? Si la femme doit conjurer la terrible menace qui pèse actuellement sur le monde, il faudrait, dit-on, lui donner la puissance politique pour ce faire : on le voit bien, ce sont seulement les hommes qui portent la responsabilité des décisions. Mais cette objection n'est pas une excuse valable : ce qui importe n'est pas de faire entrer la femme dans la politique ; cela peut se produire, comme dans l'Inde par exemple, ou aussi ne pas se produire ; ce qui est finalement décisif, c'est que soit arrachée à l'homme cette puissance qui l'oriente vers la destruction ou la menace de destruction. La menace n'est pas un moyen d'action fécond, elle oppose la brutalité à la brutalité. En d'autres termes : ce qui importe, c'est de faire réapparaître sur le visage de l'homme créateur les traits de l'épouse, d'affirmer l'autre pôle de la réalité. Et dans ce domaine la femme a sans aucun doute une tâche à accomplir.

Le grand philosophe russe Nicolas Berdiaeff a prédit à la femme, pour le proche avenir, un rôle plus important que dans le passé. Mais la femme actuelle est-elle capable de répondre à cette prédiction ? Comment la « femme dans le temps » se présente-t-elle à nous aujourd'hui ? La suppression extérieure du voile n'a-t-elle pas un sens plus profond ? Si tel est le cas, malgré toutes les victoires dans la vie professionnelle, la femme n'a pas rempli son rôle le plus élevé.

Ce qui manque au monde actuel, malgré tout l'éclat extérieur de ses inventions et de ses miracles économiques, c'est cette dose minimum de bonté, de sentiment maternel, de pitié, de tact et de tendresse qu'apporte la femme à l'univers masculin. Il ne s'agit donc pas d'introduire officiellement la femme dans certains domaines de premier plan, mais de faire transparaître à nouveau la réalité de son être dans le visage de l'homme, qui ne connaît plus, semble-t-il, la dignité et les obligations du *mysterium caritatis.* La femme pourra-t-elle réaliser l'espoir de Berdiaeff ?

La domination du sensationnel.

L'image actuelle de la femme pose beaucoup de problèmes ; la domination arrogante et brutale du sensationnel rend difficile de pénétrer la réalité de son être. L'actualité est dominée par la star de cinéma à la gloire passagère, la reine du concours de beauté ou quelque autre apparition féminine à caractère sensationnel. Toute distance empreinte de tact est ici abolie, le reporter n'a pas besoin d'écarter un voile : le goût de la sensation, la femme avide de sensationnel l'a déjà écarté elle-même. La mode — dont il faut reconnaître le côté salutaire : un caractère naturel dépourvu de préjugés et une libération de conventions surannées — ne se préoccupe plus de faire d'« aimables décolletés », comme on disait autrefois, mais des femmes déshabillées, de les mettre à nu au sens propre du terme. En outre, leur aspect extérieur est, pour une grande part, fonction de l'art cosmétique ; celui-ci peut donner une certaine grâce à celle que la nature a traitée en marâtre, ce contre quoi il n'y aurait rien à objecter ; mais par ailleurs il tend à effacer tout ce qu'il y a d'unique dans l'aspect extérieur d'un être humain, les marques de son destin essentiellement personnel et les années vécues par lui. Et que pouvons-nous attendre de la femme qui se laisse influencer par la réclame suivante pour ces produits de beauté : « Vous aurez du succès, on vous enviera ! » Peut-on imaginer un moyen publicitaire plus repoussant et plus dépourvu de charité que cette promesse d'être enviée ?

Tel un flambeau.

Mais, dans cette quête de la femme actuelle, tournons-nous vers des sources plus profondes : le coup d'œil jeté sur la littérature contemporaine ne nous a-t-il pas déjà une fois renseignés sur elle ? Tout d'abord, peu de choses ont changé : la destruction du *mysterium caritatis* est flagrante ; à sa place apparaissent des relations fugitives, finissant la plupart du temps d'une manière tragique pour la femme, des divorces, des remariages, de nouveaux divorces. Cette littérature est dominée par l'exigence impérieuse d'être présent à son temps — elle reflète d'une façon inégalable la vie que nous menons réellement — et chaque époque a, certes, le droit de voir représenté son visage particulier : le monde tremble encore des visions de destruction de la dernière guerre, certaines choses ont besoin d'être exprimées pour être surmontées. Mais, à côté du désir d'avoir une littérature proche de son temps, se maintient, inébranlable, une exigence très ancienne : « L'art doit donner à son époque le remède dont elle a besoin », c'est-à-dire qu'il doit aussi précéder son époque en l'éclairant. Il existe dans ce domaine un livre d'Heinrich Böll, peu volumineux mais qui retient l'attention : « *Und sagte kein einziges Wort* ». Au milieu des slogans sans âme, d'hommes aux abois, de bigots égarés et d'alcooliques déchus, surgit dans ce livre, sous une forme toute simple, le mystère de l'épouse qui, délaissée de l'homme, représente encore l'épouse et remporte la victoire comme telle. Si d'un côté l'œuvre désespérée d'une Françoise Sagan a acquis une triste renommée mondiale en tant que peinture de la femme actuelle, il s'offre d'un autre côté — d'un côté d'où nous l'attendions le moins —

un témoignage d'une poésie inoubliable en faveur de cette même femme : dans le grand roman du poète russe Boris Pasternak, l'amour humain atteint une grandeur bouleversante. Au milieu d'un peuple entraîné dans un destin vraiment apocalyptique, tel un flambeau de la promesse, aussi victorieux intérieurement que vaincu extérieurement, l'amour entre l'homme et la femme apparaît comme le grand mystère, le pôle d'attraction puissant autour duquel le Créateur a ordonné toute la vie naturelle et surnaturelle de sa création.

Sois vraiment femme.

L'évolution future de notre temps accomplira-t-elle la prophétie de cet amour ? Il en va aujourd'hui non seulement du sort de la culture, mais de celui de l'existence pure et simple. L'œuvre de Pasternak paraît à un moment où l'humanité se débat dans tous les domaines pour pouvoir survivre ; de nouveau se profile à l'horizon l'apparition d'un monde d'où la femme est exclue. Alors que le vol vers les planètes du cosmos trouve de nombreux partisans sérieux et engloutit des sommes incroyables, notre époque prépare la ruine de sa propre planète, de notre terre. Vraiment, tout ce qui gravitait de bon au cœur de l'homme a cessé de luire !

Cette perspective permet de trouver la position juste à l'égard du présent : il devient clair que l'époque passée étend dans une large mesure son influence sur la nôtre. En réalité la femme est exclue aujourd'hui aussi pour ce qui est de sa puissance de symbole, bien qu'elle croie encore se frayer une place. Car d'un point de vue profond une culture qui ne reconnaît plus Dieu comme ultime responsable de sa création a déjà renoncé à la présence de la femme. Mais une femme qui se laisse enfermer dans de telles conditions sans rien dire et sans flairer le danger ne fait au fond que confirmer son exclusion : sa présence est une apparence.

Pour que la femme jette dans la balance le contrepoids de l'autre moitié de l'être, la seule possibilité qui lui reste est d'être vraiment cette autre moitié, de se rappeler la puissance et le rôle qui sont ceux de la femme dès l'origine. Toutefois, en cet instant décisif, ce qu'est la véritable vocation féminine n'est déterminé ni par le vouloir égoïste de l'homme, ni par la réserve de la femme décidant de son propre chef, mais la célèbre phrase de saint Augustin s'applique ici : « Aime Dieu et fais ce que tu veux. » Pour la femme qui se soumet à la règle du « fiat mihi », n'importe où qu'elle soit, on pourrait changer ces mots sans en changer la substance : « Sois vraiment femme et fais ce que tu veux. »

Cette réflexion éclaire la voie que doit suivre la femme à l'heure actuelle de l'histoire du monde. Berdiaeff l'apercevait dans son livre *Le Nouveau Moyen Age,* quand il nous parlait du « rôle infiniment significatif » de la femme, de « sa grande part dans le réveil religieux de notre temps ». « L'importance croissante de la femme pour la période qui vient, poursuit Berdiaeff, n'a rien de commun avec le mouvement d'émancipation qui dirige la femme dans les voies masculines — ce mouvement est antihiérarchique et niveleur... Ce n'est pas la femme émancipée, la femme égalée à l'homme, ce sera l'éternel féminin qui prendra une grande importance ». La grande importance que Berdiaeff prédit ici à la femme est l'importance de la femme à laquelle nous pensons aussi ; il s'agit de faire transparaître à nouveau la réalité féminine sur le visage de l'homme créateur, il s'agit de réintroduire le « mysterium caritatis » comme le seul ordre divin où la rencontre de l'homme et de la femme, quelle qu'elle soit, puisse être créatrice, il s'agit de rétablir la totalité de l'être — faute de quoi c'est l'écroulement définitif.

Les cavaliers de l'Apocalypse.

Détruire les liens de l'être avec la totalité, porter à l'absolu la partie aux dépens du tout, c'est toujours et inéluctablement détruire avec le tout la partie elle-même. La trahison du *mysterium caritatis* est toujours double ; l'élimination de la femme signifie, en valeur symbolique, l'élimination du *fiat mihi*, donc l'élimination du religieux. Elle se produit par l'*hybris* de l'homme qui n'annonce plus que lui-même, elle peut aussi être le fait de la femme qui a renié son propre symbole. Qu'on ne s'y trompe pas, une culture qui se refuse systématiquement à reconnaître Dieu pour but et pour loi suprême sera finalement contrainte à l'accepter comme juge et comme fin. L'éternité a toujours ce caractère ambigu, soit d'« accomplir » le temps en lui donnant sa plénitude religieuse, soit de l'« accomplir » en y mettant fin. Pour une culture agonisante, l'apocalypse est la dernière forme de dépassement.

Avant l'Apocalypse dernière de la vision de Patmos, viennent les apocalypses des civilisations particulières ; et il ne peut être question ici que d'une de ces dernières, car nous ne pouvons atteindre sans témérité l'univers entier. Qu'on n'imagine pas l'irruption de cette apocalypse limitée au milieu des éclairs d'un transcendantal orage d'archanges. Seule, la révélation des derniers jours est d'une grandeur visible, car son annonciateur reste soumis aux lois éternelles, et ce sont elles qui lui permettent la vision prophétique. Appliqué à notre civilisation, l'accomplissement des prophéties ne prendrait les dimensions d'une immense catastrophe que dans l'ordre des masses et des quantités, mais, à voir les choses du dedans, ce serait l'absence totale de grandeur d'un misérable processus d'anéantissement. Dans le monde des cavaliers de l'Apocalypse, la guerre n'est pas l'événement viril et héroïque, ni la famine la révolte de la nature, ni la maladie et la mort l'effet de forces élémentaires ; cette guerre, cette famine, cette peste peuvent être simplement l'œuvre d'un affairisme irresponsable et d'un esprit d'invention devenu athée. Quant au type de la femme dans le temps qui sera la femme de ces derniers temps-là, ce n'est pas la « grande prostituée de Babylone » du texte sacré, la séductrice démoniaque des rois déchus, c'est tout simplement la femme médiocre, la femme de tous les jours hors de l'ordre divin, la femme qui comme témoin de son symbole éternel a cessé d'exister.

L'absence d'une partie de la réalité, disions-nous, entraîne toujours une altération de l'autre. Le monde des cavaliers de l'Apocalypse est essentiellement le monde sans la femme ; ce n'est pas pour autant le monde de l'homme, c'est le monde où, pour l'homme lui-même, il n'y a plus de *fiat mihi*, plus de coopération de la créature avec Dieu, c'est le monde sans Dieu, le monde qui, fondé sur la seule humanité, reçoit de ce fait le stigmate de la destruction. Les cultures qui ont cessé d'être viables ne meurent pas de mort naturelle, elles périssent étouffées. Par l'irruption des cavaliers de l'Apocalypse se poursuit avec une rigueur inexorable la trajectoire tragique d'une culture devenue unilatérale sous le double aspect de la transcendance et de l'immanence. L'écroulement de l'architecture visible du monde ne fait que parachever la ruine des fondations.

Quand toutes les forces d'ici-bas se seront épuisées.

Maintenant la balance du destin hésite encore. Le seul réconfort, semble-t-il, que la femme soit en mesure de dispenser à l'humanité d'aujourd'hui est la foi en l'incommensurable efficacité des forces cachées, la certitude inébranlable que pour la porter et la soutenir il n'y a pas seulement un pilier visible mais aussi une colonne invisible. Quand toutes les forces d'ici-bas se seront épuisées en vain, — et dans la détresse actuelle ce jour n'est pas loin, — alors pour l'humanité, jusque dans son éloignement de Dieu, sonnera une fois encore l'heure de l'Au-delà. Mais s'il faut, pour renouveler la terre, que la puissance créatrice de Dieu éclate du haut du ciel, elle ne peut descendre du ciel que si la puissance religieuse, la disponibilité du *fiat mihi* vont à sa rencontre. L'heure du secours de Dieu est toujours pour l'humanité l'heure religieuse, — l'heure de la femme, l'heure de la pure coopération de la créature à l'œuvre du seul agissant. Le chemin du paradis ne se révèle qu'à la rencontre de la femme aimante dont le regard repose en Dieu. Le plus grand poème de tous les temps, celui de Dante, est aussi un témoignage éternellement valable de la signification créatrice du *mysterium caritatis.*

LA FEMME HORS DU TEMPS

Le « siècle de l'enfant ».

Lorsque nous pensons aujourd'hui à l'année 1900, où parut le célèbre ouvrage d'Ellen Keys, *Le siècle de l'enfant,* nous ne pouvons nous défendre d'une profonde tristesse. Qu'est-il advenu du « siècle de l'enfant » ? Que de souffrances inouïes il a apportées, justement aux enfants, avec quelle brutalité deux guerres mondiales et périodes de famine ont passé sur ces êtres innocents, et quelle profonde menace représente encore l'époque actuelle pour l'enfant ! Malgré toutes les fondations charitables de villages d'enfants, de homes d'enfants et malgré l'assistance de toute nature aux enfants en bas âge une plainte s'élève, incoercible et sans cesse grandissante, au sujet de la solitude de l'enfance, de ces malheureux « enfants portant la clef de leur maison », à qui leur mère travaillant au-dehors ne peut plus offrir « la chaleur du nid » qui allait de soi autrefois et où les générations passées puisaient force physique et spirituelle pour leur vie entière. Ces constatations projettent une ombre profonde sur notre époque éblouissante et tant admirée. Dans une large mesure la maternité et le sens maternel ne sont plus aujourd'hui pour la femme une chose qui va de soi comme par le passé. Naturellement il en découle aussi le risque de mal comprendre ce qu'est le vrai sentiment maternel.

Et de fait ce danger est manifeste. Il n'y a que le citadin, qui s'évade en campagne pour le week-end, pour s'enthousiasmer de la nature ; le paysan, lui, y respire. Il n'y a que le critique infécond pour multiplier les discours à propos de l'art ; l'artiste, lui, a l'art pour langage. Il n'y a que les époques sans mères pour réclamer la mère, bien plus, il faut une époque profondément dépourvue du sens maternel pour présenter la mère comme une nécessité du temps.

Image de l'infini terrestre.

Car, dans la maternité, la femme est justement la femme hors du temps, semblable à elle-même en tout temps et en tout lieu. En elle, la reine et la mendiante cessent de se distinguer ; devant elle s'effacent les marques particulières des nations, les degrés où s'échelonnent les cultures, de la plus primitive à la plus évoluée. Être mère ne peut jamais devenir la tâche particulière aux femmes d'une époque, c'est purement et simplement la tâche de la femme. La mère ignore en un sens ce que la personne a de particulier et d'unique ; elle ignore aussi ce que l'époque a de particulier et d'unique. Tout programme temporel s'arrête devant la mère, car le temps ne possède pas de puissance sur elle. Vierge, la femme se tient isolée en face du temps ; épouse, elle partage le temps avec l'homme qui se tient dans le temps ; mère, elle dépasse le temps. La mère est l'image de l'infini terrestre. Les millénaires passent sur ses joies et ses douleurs sans laisser de traces : la mère est toujours la même. La mère, c'est la plénitude immense, le silence, l'immutabilité de la vie dans la conception, la gestation et l'enfantement. Elle ne peut être comparée qu'au sein fécond de la terre ; de lui non plus nous ne pouvons exiger, du moins exiger sans conditions, qu'il nous comble de ses dons. Car pour ce qui est de la vie dans son essence et dans son jaillissement originel, la puissance de l'homme qui veut et qui agit n'atteint jamais qu'à la surface des choses.

Mystérieuse au grand jour,
La nature garde jalousement son voile...

Le thème fondamental de tout événement féminin est éminemment aussi le thème fondamental de cet événement essentiellement féminin qu'est l'enfantement. Le voile que porte au jour de ses noces la femme appelée au mariage, l'épousée, n'est pas seulement le symbole de sa virginité intacte, c'est aussi le symbole du mariage où la femme va s'engager. Le voile qui couvre le front de l'épousée recouvrira bientôt le berceau de son enfant ; tel est le sens profond de la belle coutume qui veut que l'enfant soit présenté au baptême sous le voile nuptial de la mère. La conception et la naissance sont l'heure et le mystère de la vie. Elles sont aussi l'heure et le mystère de la femme.

Le silence est le nom de la vie.

C'est à ce caractère mystérieux que fait allusion Ruth Schaumann dans la *Lettre de Chelion à Cletus* : « Les vraies femmes sont silencieuses et désirent le silence... Que l'on me montre une femme qui écrive à propos de ce qui la touche... Elle tait ce qui la touche, car le silence est ici le nom de la vie et le discours le nom de la mort... Ce qui est secret est fécond, ce qui est divulgué ne l'est plus. » Ruth Schaumann ne vise pas seulement ici l'intrusion indiscrète de nos contemporains dans le domaine de la femme hors du temps. Les appels à la mère administrent la preuve qu'on abordait en pleine inconscience le domaine propre de la femme en tant que mère, le domaine de la femme tout court. De ce point de vue les romans et les drames écrits à cette époque sur le mariage se présentent sous un jour inquiétant. Nous ne contestons pas à l'art authentique le droit de traiter librement du mariage, comme de tous les grands thèmes humains. Mais nous demandons que l'art lui-même respecte les frontières de ce silence qui fait partie intégrante du climat de son sujet. Il ne s'agit donc pas, comme on l'objectait naguère, d'imposer des limites à la création artistique, mais au contraire de suivre le seul chemin que l'art lui-même puisse prendre pour accéder vraiment aux choses. Le mal dont souffre le mariage en général, comme les maux dont souffre chacun des couples, ne peuvent être guéris qu'en respectant ce climat nécessaire ; de même ils ne peuvent être dépeints que si l'art reconnaît ce même climat. Chaque fois que la vie est en cause dans sa spécificité et dans son jaillissement originel, la volonté et l'action masculines ne s'exercent qu'en surface.

L'intrusion de la technique.

Chaque fois que l'homme veut enchaîner les forces naturelles qui le menacent, il impose des limites à sa propre nature. Persuadons-nous bien que les formes mêmes les plus heureuses de l'intrusion du temps dans le domaine de la femme hors du temps, la médecine et l'hygiène moderne, restent pourtant une intrusion : elles sont l'aspect positif d'un envahissement de la technique dans les fonctions maternelles. Les avantages sanitaires que la clinique offre aux futures mères et aux nouveau-nés sont chèrement payés : non seulement le mystère de la naissance cesse d'être l'événement central de la famille, il ne demeure plus caché au sein de la famille comme dans sa retraite naturelle ; on éloigne encore de lui la crainte révérencielle due aux forces primitives qui en sont le fond. L'appel lancé par notre époque à la destination naturelle de la femme devrait impliquer le respect religieux de la nature ; or ce dernier se mesure nécessairement au sentiment que l'on garde de la souveraineté absolue de la nature. La maîtrise des forces de la nature s'accompagne nécessairement d'un déclin du respect. Fait évident, si l'on songe aussi bien aux applications négatives des sciences modernes qu'à leurs applications positives. Nous avons des moyens accrus pour sauver la vie de l'enfant ; mais nous avons aussi des moyens accrus pour éviter l'enfant ou même l'éliminer. Nous ne voyons plus aujourd'hui la femme dans l'attitude de la soumission aux forces insondables de la nature, nous ne la voyons plus les servir dans un religieux respect ; mais nous voyons partout une femme dont le caractère extratemporel est certes protégé et garanti par les forces du temps, mais aussi restreint et lésé par elles. La logique rigoureuse de cette évolution ne doit pas être perdue de vue quand nous cherchons à comprendre l'effrayante signification de l'appel que les temps modernes lancent vers la mère.

L'amour immuable.

Une étude sur les mères modernes ne saurait donc suffire pour nous conduire jusqu'aux mères. Il nous faut rechercher des témoignages suprapersonnels sur l'être et l'essence de la mère, il nous faut rendre visible la figure supratemporelle de la femme hors du temps. Nous voici ramenés aux grandes révélations de l'Art.

Mais aussitôt une constatation surprenante s'impose : chaque fois qu'il s'agit de la mère, l'art, quand il est vraiment grand, suggère et n'exprime pas. La grande poésie dramatique s'abstient ou à peu près de toute indication : avec le *Roi Lear,* Shakespeare a écrit la tragédie du père, la tragédie de la mère fait défaut. Nous n'avons de lui que le cri de Constance dans le *Roi Jean,* et, dans *Coriolan,* les deux mères, dont le seul rôle est de servir de réplique au héros masculin du drame. La plus âgée des deux fait ressortir cette vérité : une mère ne se soucie d'agir et de briller que dans son fils. La plus jeune s'entend appeler : « Mon doux silence ». La saisissante beauté de cette étonnante épithète signifierait-elle que l'art lui aussi réalise ce que Ruth Schaumann dit de chacune des femmes : « Quand quelque chose la touche, elle le tait » ? Le silence de l'art ne serait-il pas l'indice que l'art connaît bien la mère ? La grande littérature dramatique semble le confirmer. L'heure héroïque de la femme — et tout vrai drame est construit autour d'une heure héroïque — ne se manifeste pas par des actions visibles, comme l'heure héroïque de l'homme, mais elle s'accomplit au sein de la plus profonde retraite. Elle échappe aux regards, elle échappe aussi à la représentation dramatique. Autre raison encore : l'élément générateur du Drame n'est pas seulement l'action héroïque, c'est aussi la loi intérieure d'une figure exceptionnelle dans son développement. Or la mère n'est pas une figure exceptionnelle, elle n'a pas de loi propre, sa loi c'est l'enfant, — tout ce qui a hors de soi son centre de gravité est toujours plus ou moins impersonnel. La mère est la femme hors du temps, car, là où elle existe encore, elle est immuable. Son amour ne connaît pas de développement, dès la première heure il est là, il n'y a pas de progrès dans l'immuable. L'amour de la mère ne peut s'accroître cela supposerait qu'il ait pu être moindre. On ne peut parler de progrès à propos des différentes périodes de la vie maternelle, ces périodes sont semblables aux saisons de la nature : le printemps et l'automne ne sont pas des développements, ils sont les parties d'un cercle sans fin.

Dans l'infini de minuscules fatigues.

A l'heure de la naissance, la mère engage sa vie sans retour pour son enfant ; après la naissance, elle perd la disposition de sa vie pour la remettre à l'enfant. La femme hors du temps est la femme qui se perd dans le fleuve des générations ; la femme maternelle est la femme qui a disparu dans son enfant.

L'amour immense, l'amour de nature qui jaillit de la mère et qui forme pour ainsi dire le climat où l'enfant va conquérir ses traits propres et sa personnalité, cet amour impose à la mère renoncement et sacrifice, jusqu'au risque de perdre ses traits à elle et sa propre personnalité — et cette perte est encore le même sacrifice, d'un héroïsme aussi total que totalement dépourvu de pathétique. L'heure héroïque de l'enfantement s'était accomplie dans le secret d'une alcôve ; l'héroïsme de toute la vie qui va suivre pour la mère restera dans une obscurité profonde. La mère transmet la vie à l'infini, mais sa propre vie s'écoule dans l'infini de petites, de minuscules fatigues. Fait de silence, l'héroïsme de la mère est fait aussi de quotidien et d'ordinaire. Autant dire que le genre littéraire qui convient à la mère n'et pas le drame, image des grands destins et des grandes figures, mais l'art bourgeois de la vie quotidienne, le roman. Il a déjà pour traits formels cette absence de pathétique, cette simplicité, cette monotonie qui caractérisent le destin et l'héroïsme maternels. Ses affinités pour le détail quotidien le qualifient plus spécialement encore pour retracer avec amour cet infini déroulement des événements petits et minuscules qui tissent la trame d'une vie de mère.

La mère ne peut mourir.

Par contre, la vraie grandeur de la mère, ce qu'elle a, au-delà de la psychologie, d'universel, d'immuable, d'élémentaire et de naturel — tout ce qui fait d'elle la femme hors du temps —, nous ne le trouverons pas dans le roman, toujours lié à un temps, mais dans la naïveté de l'art populaire. Tout ce qui rend la mère étrangère au drame la destine au conte et à la légende. Là, il ne s'agit plus d'individus mais de types. Dans un conte, la mère est toujours la même. C'est surtout quand le conte fait paraître la mère défunte qu'il montre la constance de son amour, l'indissolubilité des liens qui l'unissent à son enfant. Au fond, aucun conte ne croit que la mère puisse mourir. La mort n'a pas de puissance sur l'amour, elle n'en a pas sur ce qui ne change pas. La mère défunte des contes revient la nuit pour bercer ses enfants, ou encore elle délègue auprès d'eux la nature aimante : les branches de l'arbuste qui poussent sur sa tombe sont des mains maternelles toutes chargées de présents, qui se tendent vers l'orphelin. La légende bretonne parle de la « Berceuse » de la mort qui chantonne à l'oreille aux marins agonisants des navires naufragés les mélopées que jadis elle entendit leurs mères chanter : la poésie populaire saisit ici l'écho de la profonde harmonie qui règne entre la naissance et la mort. Si la mère délègue la nature, la nature aussi délègue la mère, — la mère est parfois tout à fait identifiée à la nature : ainsi dans le conte de la belle Mélusine. Les contes voient si étroitement liées la mère et la nature, que l'on comprend leur préjugé contre la marâtre : seule la vraie mère peut être une bonne mère. La mère qui n'est pas donnée par la nature sera toujours mauvaise ; par contre c'est la sœur, être du même sang, qui prendra près de ses frères la place de la mère, ainsi dans le conte des *Sept corbeaux* et dans *Frère et sœur.* A l'égal du conte populaire, la chanson populaire exprime avec vigueur le motif essentiel de la maternité. La berceuse l'exprime déjà par sa forme : mise sur les lèvres d'une mère, dont elle exprime l'amour et la tendresse, elle ne chante que pour l'enfant !

Piédestal de son enfant.

Si la mère échappe à l'art dramatique, elle échappe tout autant aux arts plastiques. Ils ont besoin de la forme, comme le drame a besoin de la personnalité. La personnalité est unique, la forme est définie. Or la forme de la mère n'a pas de contours pleinement définis, elle se fond avec celle de l'enfant. En littérature c'est au roman, à la chanson, au conte, en art c'est à la peinture qu'on pourra demander d'évoquer la mère et l'enfant — donc non pas à l'art de la forme, mais à celui de la couleur. Ce n'est pas par hasard que l'art grec ignore la figure de la mère avec l'enfant. Le sens plastique éminemment développé de l'art antique répugnait à l'objet pictural. C'est le christianisme qui le premier a fait entrer la mère et l'enfant dans l'art, mais comme un objet sacré : la madone est porteuse du divin comme un flambeau qui porte la lumière du monde, — elle est le piédestal de son enfant, elle n'est pas la raison d'être de son œuvre. Au fond l'art chrétien lui non plus ne crée pas une image de la mère qui se suffise à elle-même, il laisse la mère au second plan, et il n'en révèle que mieux le charme plein de retenue de la vraie maternité ; l'aimable visage de la madone n'est que le symbole de cette beauté intérieure. Ainsi, de toutes manières, en raison même de son essence, la mère échappe à toute tentative de l'art pour en faire une figure indépendante. La vraie figure maternelle, c'est la mère douloureuse, la mère au pied de la croix de son Fils. Sa torture la rend accessible à l'art. Et c'est aussi pourquoi la sculpture antique, qui ignore l'idylle de la mère et de l'enfant, connaît pourtant la figure de Niobé.

Plus profond que la mère charnelle.

On pressent ici un nouveau rapport entre la maternité et le drame. La figure de la femme séparée de l'enfant n'est pas seulement la mère dont le fils a péri, ce peut être aussi la mère dégénérée. Une fois de plus le drame et la sculpture obéissent aux mêmes lois. Quand elle se sépare de son enfant, la mère retrouve des traits personnels et redevient un personnage dramatique : il n'en est pas de meilleur exemple que Médée. De même la Jocaste de l'*Œdipe-Roi*, la reine dans *Hamlet*, l'une et l'autre mères dégénérées par le triomphe des valeurs érotiques sur les valeurs maternelles. A leur groupe appartient encore, dans le genre épique, mais dessinée en figure dramatique, la Krimhilde des *Nibelungen* ; elle est bien le personnage le plus anti-maternel de toute la littérature. Dans l'effroyable massacre qu'elle prépare pour venger la mort de son époux, elle n'épargne pas ses frères par le sang, elle sacrifie même l'enfant de sa chair. La plus puissante figure féminine de toute la poésie allemande apporte ainsi, dans une horreur poétique grandiose, la preuve qu'une femme qui a un enfant selon la chair n'est pas pour autant une mère. La littérature nous conduit ici à la nécessité d'aller aux mères, c'est-à-dire d'aller plus profond que la mère charnelle : il faut, chez la mère elle-même, découvrir la mère. La grande romancière scandinave Sigrid Undset introduit ce thème dans son roman *Ida Elisabeth.*

Du côté de la faiblesse.

Les premières pages exposent le thème dans toute son ampleur : « A voir combien de gens deviennent égoïstes dans la vie de famille, déclare une jeune fille, on peut bien croire que Dieu, rien que pour rétablir l'équilibre, doit élire quelques êtres pour les faire tout à tous ». Ida Élisabeth, l'héroïne du roman, est entièrement centrée sur la maternité physique ; elle refuse durement d'être « tout à tous ». Le malheur veut que son mari soit tombé en enfance ; elle est obligée de le faire vivre du travail de ses mains, lui, ses parents, ses frères et sœurs. « Les femmes, dit-elle, ont conscience d'être au monde pour avoir des enfants, mais elles haïssent et détestent que des adultes viennent les obliger à être leurs mères à eux aussi. » Ida Élisabeth quitte donc son mari pour assurer une existence meilleure à ses deux petits enfants, envers qui seuls elle se reconnaît des devoirs de mère. Mais ce geste pose pour elle la vraie question de sa vie maternelle. Ses enfants ont hérité des tares de leur père. Ils continuent d'attacher à ses pas l'insoluble problème de son mariage. Ils sont à l'origine des différences qui vont l'opposer à l'homme aimé avec lequel elle voudrait s'unir en un second mariage. La déchéance de son mari avait été fatale à son premier ménage, c'est maintenant la valeur de l'homme qu'elle aime qui la soumet à une question fatale. La question n'est pas de savoir si elle pourra faire vivre avec un second mari les enfants du premier, mais si elle pourra mettre à l'unisson cet homme de valeur et ces enfants marqués des tares de leur père. Le vrai problème du livre est donc celui-ci : la mère se doit-elle à la force ou à la faiblesse ?

La nécessité de sacrifier à ses enfants sa promesse à l'homme qu'elle aime ne viendra pourtant pas de longtemps à la pensée d'Ida Élisabeth : l'un des traits les plus délicats et les plus géniaux de ce livre est qu'en ce passage il ne soit pas fait allusion à l'idée du sacrifice. La décision d'Ida Élisabeth ne procède d'aucune réflexion sur son propre cas, elle jaillit des profondeurs mêmes de la nature maternelle. Mais c'est une décision absolue, et qui porte en elle toutes ses conséquences. La lumière se fait quand Élisabeth retrouve son premier mari, tombé entre temps gravement malade. Dès lors elle ne se refuse plus ni à lui ni aux siens. En elle la mère a complètement vaincu : la décision est prise, non pour la force, mais pour la faiblesse. Car être mère, éprouver des sentiments de mère, c'est se porter du côté de l'abandonné, c'est se pencher avec amour et sollicitude sur tout ce qu'il y a de petit et de faible sur la terre. Le principe de la maternité est double. Il ne se limite pas au seul enfantement, il s'étend au soin et à la garde de l'être enfanté. L'enfantement charnel n'est que la première manifestation des puissances maternelles, le symbole le plus émouvant d'une réalité bien plus générale. Ses propres enfants ont conduit Ida Élisabeth à reconnaître qu'une mère ne peut être seulement la mère de ses enfants.

Mère de tous.

Il n'y a qu'un seul enfantement, celui de l'enfant par la mère, il y a aussi l'enfantement de la mère par l'enfant. « Les enfants nous éveillent, les enfants nous disent : comme tu es dure, deviens donc douce ! » écrit Ruth Schaumann[1]. L'enfant qui déchire en naissant le sein de sa mère, déchire aussi le cœur, il l'agrandit et l'ouvre pour tout ce qui est faible et petit. Il arrive qu'au profond d'une forêt, l'image d'une madone au manteau se dresse sur un socle solitaire ; ainsi dans le roman de Sigrid Undset, au milieu du fourré des problèmes où s'agitent les hommes modernes, une idée fondamentale se fait jour : la mère est la mère de tous ! Car ce qui vaut dans un cas extrême — celui d'Ida Élisabeth avec son mari et sa belle-famille — vaut en fin de compte partout et toujours : le monde a besoin de trouver la mère dans la femme, car il n'est qu'un enfant pauvre et abandonné. L'homme vient au monde faible, plus faible encore il le quitte : la mère qui couche l'enfant dans son berceau appelle la femme aux mains miséricordieuses qui assiste le vieillard et essuie la sueur de l'agonie sur le front du mourant. Et le temps qui s'écoule entre la naissance et la mort n'encadre pas seulement l'action efficace de l'homme vainqueur,

1. *Yves.*

mais aussi la fatigue infinie du chemin, la fatigue accumulée par le retour sans fin du quotidien, par toutes les nécessités du corps et de la vie. C'est en tant que mère que la femme a été tacitement constituée légataire de cet immense et imprescriptible héritage de misère et de fatigue. Comme mère la femme ne représente plus seulement ce qu'elle représentait comme épouse, la moitié de la réalité, mais sa part est certes bien plus grande. Le peuple sait bien pourquoi l'homme appelle sa propre femme « maman », il sait bien qu'il n'entend pas par là nommer seulement la mère de ses enfants ; la mère de tous est d'abord celle de son propre mari. C'est la mère qui prépare son repas, qui met son couvert, qui raccommode ses vêtements, qui supporte ses impatiences, ses soucis, ses heures mauvaises. « En elle se confie le cœur de son mari et elle ne lui fera jamais défaut », est-il dit dans l'éloge biblique de « la femme forte » et plus loin : « Elle se lève quand il fait encore nuit, et donne à manger à tous ceux de la maison » — la mère de l'homme est aussi la mère de toute la maisonnée. Et cette mère est toujours la même ; tout comme la mère de l'enfant, elle n'a de pareille que la terre aimante, la terre qui, en silence, porte et donne, et toujours recommence, jusqu'à triompher des limites de la matière à force d'humble soumission à la matière terrestre. Ainsi, entièrement absorbée par les nécessités quotidiennes, la femme maternelle est la grande victorieuse du quotidien, elle le vainc quotidiennement, tout simplement parce qu'elle le rend supportable ; elle en triomphe d'autant mieux qu'on remarque moins sa victoire. L'homme travaille dans le monde de l'esprit à triompher de la matière, mais il n'en viendra à bout que si la femme maternelle le décharge du matériel... Invisible victoire quotidienne, victoire sans gloire, — gloire essentielle et authentique de la femme hors du temps. Il n'en est pas de semblable sinon la gloire du « soldat inconnu » de la guerre mondiale : n'est-il pas le fils de la femme inconnue ?

La loi de la douceur.

Aux nécessités du corps et de la vie s'ajoute la fatigue de l'homme en son âme et esprit, ce fardeau démesuré de peine et de croix, d'insuffisances et de fautes de toutes sortes, qu'on ne peut jamais rejeter mais qu'il faut dans l'immense majorité des cas tout bonnement porter. La mère qui nourrit ceux qui ont faim, console aussi les affligés. Les faibles et les coupables, ceux qu'on rejette ou persécute, ceux même qui sont justement châtiés, ceux que la justice du monde ne veut plus supporter ni défendre, ont un dernier recours dans la consolation et la miséricorde de la femme maternelle. Elle va répétant la parole d'Antigone : « Je ne suis pas venue pour partager la haine mais l'amour. » Elle ne dresse pas, pour autant, la faiblesse contre la force. La Bible ne loue pas la femme faible, mais bien la femme forte, quand elle dit au livre des Proverbes : « La loi de la douceur est sur sa langue. » Car la douceur est le plus haut point de la force.

La femme maternelle a pour privilège cette fonction discrète et capitale : savoir attendre, savoir se taire, être capable, devant une injustice ou une faiblesse, de fermer les yeux, d'excuser, de couvrir — œuvre de miséricorde non moins bienfaisante que de couvrir la nudité du corps.

Et c'est une des erreurs les plus funestes de ce monde, une des raisons qui expliquent le mieux pourquoi il ne connaît pas la paix, qu'il se croie toujours obligé de découvrir et de condamner toute injustice ; une mère sage et indulgente sait bien qu'il faut faire parfois exactement le contraire. Le verset biblique : « La loi de la douceur est sur ses lèvres », fait suite à celui-ci : « Elle ouvre sa bouche à la sagesse. » La « sagesse » n'est souvent pas autre chose qu'une petite plaisanterie, un mot amical. Ici encore la femme est voilée ; sa « sagesse » ne prend pas de grands airs, elle n'apparaît pas, et c'est là sa grandeur. Nous n'entendons pas repousser au second rang la sagesse de l'homme qui commande et qui juge, nous avouons simplement qu'elle n'est qu'un aspect de la vérité terrestre. Au cas où l'homme contesterait à la femme maternelle cette loi de douceur qui est la sienne, à cet homme-là le monde deviendrait intolérable, si jamais la femme cédait. Qu'il accepte au contraire cette loi, même de mauvais gré, il lui devra de pouvoir vivre, il lui devra ce recours, — souvent le dernier — à la patience, à la bonté, à l'indulgence, sans quoi l'existence deviendrait un enfer pour l'individu comme pour les peuples. Tel est le sens universel, — ce n'est pas encore le sens chrétien —, de l'aimable légende du miracle des roses dans la vie de sainte Élisabeth — elle est la légende même du génie maternel de la femme.

Le mystère de l'inachevé.

Mais si le miracle des roses ne cesse de se répéter, les reproches du Landgrave se répètent aussi. La maternité universelle de la femme, son absolue dépendance à l'égard des petits et des faibles soulève nécessairement une question : quels sont dans le monde le sens et la justification de la petitesse et de la faiblesse ? L'homme ne leur reconnaît de place que dans la perspective du devenir. Nous voilà ramenés au second problème soulevé par le roman *Ida Élisabeth,* le problème de l'opposition de deux mondes, le monde de l'homme et le monde de la femme maternelle. « Ne faudrait-il pas, lisions-nous, apprécier le bien chez les hommes, comme on apprécie par exemple un filon de minerai, lorsqu'on se demande s'il est assez riche pour payer son exploitatons ? » A coup sûr le mari d'Ida Élisabeth appartient au groupe de ceux dont l'exploitation ne paie pas, qui ne méritent que le nom de « ratés ». On veut dire par là quelque chose qui n'est plus modifiable, on veut dire que les lois du devenir ne jouent plus. Mais le devoir maternel ne cesse-t-il pas alors ? Cette question fait entrer le roman dans sa dernière étape : il s'agit maintenant, dans l'absolu, de la valeur ou de la non-valeur de la personne. En ce point le chemin de la mère recoupe celui de la vierge, — nous voici soudain ramenés devant le mystère de l'inachevé et de l'inassouvi. Mais alors, dans l'œuvre de Sigrid Undset le merveilleux s'accomplit : la femme maternelle, celle donc que notre époque oppose à la stérilité de la célibataire, va accueillir dans ses bras l'être « raté » pour ce monde. Voici le lit de mort du mari imbécile : « Tout ce qui permet aux hommes de faire quelque chose de leur vie, l'amour, le travail, la responsabilité, toutes ces choses-là étaient et restaient grandes, maintenant et toujours ; mais aujourd'hui seulement elles étaient baignées de cette lumière ou de cette ombre, qui, confondant formes et couleurs, ne laisse plus distinguer une vie humaine d'une autre. Est-ce dans les mains de Dieu, — s'interroge Ida Élisabeth, — que s'apaisent ainsi ces oppositions inconciliables ? » Le visage du mort donne la réponse, ce visage rayonnant, effrayant, ce dernier visage presque triomphant. Son inconcevable beauté, était-elle l'image de ce qui aurait dû être ? Était-ce, dans sa splendeur, l'idée que le Créateur inclut dans ses œuvres, même dans ses œuvres inférieures et apparemment « ratées » ? Était-ce le signe que l'inconcevable ne restera pas toujours inconcevable ? L'évaluation définitive de l'homme n'appartient pas à l'homme mais à Dieu. Devant Dieu — devant la mort dans le roman de Sigrid Undset — c'est à la femme maternelle et non à l'homme justicier qu'il a donné raison. Assurément, on ne peut l'oublier, le roman laisse à l'appréciation de l'homme toute son efficacité pour la vie temporelle, il la laisse même jouer à l'égard de la femme maternelle : si son devoir de mère est de prendre en charge le « raté » avec une patience qui ne juge plus ni ne questionne, la femme n'en partage pas moins, de son côté, toute la responsabilité de l'échec. En tant qu'épousée de l'esprit masculin, l'épouse partage avec l'homme la responsabilité de son œuvre culturelle ; en tant que future mère, elle partage avec lui la responsabilité de l'enfant. Il faut pourtant regarder plus loin et voir bien clairement ceci : le jugement de valeur qui tient compte de cette responsabilité ne concerne qu'un aspect de la réalité. Si l'homme veut remplir sa mission dans le monde, il doit porter des jugements de valeur sur ce monde ; il peut accepter la faiblesse dans le devenir, il ne peut l'admettre dans l'être. Le sens maternel absolu de la femme, qui accepte la faiblesse aussi dans l'être, se situe sur une ligne qui mène à l'au-delà, — et ce n'est qu'à condition de s'y placer lui-même que l'homme avec ses jugements de valeur se verra contraint d'accepter le monde maternel. Le miracle des roses de sainte Élisabeth, c'est la miséricorde terrestre justifiée par la miséricorde éternelle.

Sous cet angle, ce n'est pas seulement le secours maternel porté à la faiblesse, c'est la faiblesse elle-même qui prend son sens métaphysique. Nous atteignons la région où même le minerai pauvre a un rendement. La frontière de l'humain est toujours la porte d'entrée de Dieu. Les petits, les faibles, les inadaptés de ce monde sont là pour rappeler à l'homme la miséricorde éternelle, ils représentent l'insuffisance de l'homme terrestre sous sa forme la plus douce et la plus touchante, la plus dure et la plus cruelle étant la faute et le péché. Les faibles et les petits de ce monde ne possèdent pas seulement, selon la parole évangélique, le royaume des cieux, ils en sont les annonciateurs, ils fraient le chemin vers lui. Mais celle qui les soigne et les protège se joint à eux pour annoncer le royaume. Le mot de saint Paul sur la femme « sanctifiée par l'enfantement » se prolonge dans la Béatitude des miséricordieux. Toute mère reçoit quelque rayon de la gloire et de la joie maternelle de Marie ; elle reçoit en même temps la lumière de son auréole de « mère de miséricorde »...

La voie spirituelle de la maternité.

La maternité universelle de la femme permet aussi d'apprécier à sa vraie valeur sa maternité spirituelle. Elle aussi est une puissance naturelle d'amour, déterminée, quand bien même manquerait l'enfant de la chair, par la finalité essentielle et innée de la femme. C'est elle que montre le conte allemand dans la petite sœur qui file des chemises pour ses frères changés en corbeaux, c'est elle qui, déjà présente au cœur de la petite fille, survit chez la vieille fille à l'espoir de la maternité physique.

La maternité spirituelle est une donnée de nature, son exercice aussi est naturel. Quand nous disions plus haut que la maternité physique n'est que le premier éclat des forces maternelles, n'est que leur manifestation la plus générale et la plus émouvante, nous ne voulions pas dire que seul l'enfant assure la promotion de la femme à la maternité universelle. C'est une survivance de l'individualisme le plus périmé que de croire que tout doit être vécu par tous. Dans une infinité de cas, la femme qui n'est mère qu'au sens spirituel du mot, dans la famille la tante ou la marraine, dans la vie publique l'assistante sociale, doit remplacer la femme qui a eu un enfant selon la chair, mais qui ne se montre pas vraiment mère ; de même, à l'inverse, la mère selon la chair remplace à son plan la femme à qui n'est échue qu'une maternité spirituelle. Ce n'est pas le destin individuel de la femme qui compte, c'est la part que chacune prend au destin de la femme, à cette maternité absolue que chaque femme détient hors des atteintes du destin visible. Ruth Schaumann peut bien écrire, dans son roman *Yves* : « Elle ne sait pas ce qu'est une mère, elle n'a jamais eu d'enfant » ; quelques pages plus loin, elle fait contredire ce propos par l'exemple de Germaine, la femme à qui le bonheur d'avoir des enfants a été refusé, mais qui serre maternellement sur son cœur l'enfant d'une autre femme, avec tout l'amour que refuse la mère selon la chair.

Dans la lignée de Germaine, dans la lignée des femmes sans enfant qui sont vraiment des mères, il arrive de trouver cette seconde mère si fort maltraitée par le conte : la « bonne marâtre » d'Anselme Feuerbach l'a réhabilitée. Le conte n'est pas pour autant dans l'erreur, il sait combien profond et unique est le lien de nature entre la mère et l'enfant, mais il ne connaît pas toutes les ressources de la nature maternelle, il ignore que la voie spirituelle de la maternité est encore la nature ! La légende pourtant rend parfois justice à la marâtre ; et l'art a représenté la madone de la femme sans enfant, de la seconde mère, dans la madone d'Holbein qui ne porte pas l'Enfant Jésus mais l'enfant malade du donateur.

Professions maternelles.

Il n'existe pas de droit de la femme à l'enfant, il n'existe ici qu'un droit, celui de l'enfant à avoir une mère ! La phrase de Ruth Schaumann : « Ce sont les enfants seuls qui nous attendrissent, qui nous disent : comme tu es dure, deviens donc douce ! », non seulement garde toute sa valeur même quand l'enfant n'est pas l'enfant de la chair, elle vaut aussi pour tout ce que l'enfant représente, elle vaut pour les bras tendus par les abandonnés, par tous ceux qui demandent secours et protection. Ceci éclaire sous leur vrai jour les problèmes relatifs aux professions féminines. L'office de la doctoresse, de l'assistante sociale, de l'institutrice, de l'infirmière, ne sont pas pour la femme des « professions » au sens masculin du terme, ce sont des formes de la maternité spirituelle. Le passé récent exigeait que la célibataire eût une profession pour remplacer la maternité physique. L'avenir formulera la même exigence au nom de la maternité spirituelle, — de la maternité totale, à laquelle la célibataire elle aussi a droit. Les professions féminines ne doivent pas uniquement servir à remplacer la maternité qui fait défaut, mais elles doivent permettre l'exercice de l'instinct maternel, qui ne fait jamais défaut au cœur de toute femme authentique.

Le moins féminin de tous les domaines.

L'accession de la femme à telle ou telle profession, le choix de cette profession, doivent donc dépendre des possibilités plus ou moins grandes qu'elle offre à un exercice fécond des puissances maternelles. Il y a sans aucun doute un grand nombre de professions qui se prêtent aussi bien à l'exercice de capacités spécifiquement maternelles qu'à celui de capacités masculines. En cette matière, le moins féminin en apparence de tous les domaines, la politique, est très riche en leçons. Lorsqu'une femme a été appelée au trône, elle s'y est le plus souvent conduite comme une bonne régente. Il ne faut pas voir là un hasard, mais l'expression d'une réalité intimement liée à la maternité spirituelle universelle de la femme. Une bonne régente n'est pas un bon régent, c'est une bonne mère pour son peuple. L'alliance de la force maternelle avec la force souveraine n'exclut d'ailleurs nullement cette part d'héroïsme que requiert la vie politique. La femme n'a été néfaste dans les grands rôles politiques que lorsqu'elle a renoncé aux rôles maternels, quand par exemple elle a joué le rôle de la Pompadour. Quant à la femme ordinaire, appelée à un rôle politique quelconque [1], elle aussi, sans

1. On n'est pas obligé de se représenter la femme en poli-

l'apparat visible de la reine, est spirituellement une mère pour son peuple. Cette condition rend seule admissible la présence de la femme dans la politique. Car aucun homme ne peut faire entendre la voix de la mère ; le tout est de savoir comment cette voix pourra se faire entendre sans qu'elle soit dénaturée.

Ce qu'on appelle le « droit de la femme » à sa profession ou à sa vocation n'existe pas en ce monde, mais le monde a sur la femme un droit, le droit même de l'enfant.

Ces idées semblent nous avoir écartés de la femme hors du temps ; simple apparence. En réalité c'est bien plutôt du temps que nous nous sommes écartés : la femme hors du temps, c'est celle qui ne se laisse pas soumettre au temps ! C'est l'essence même de la maternité que de vaincre le temps. La femme qui enfante porte la vie jusqu'à l'infini ; la femme gardienne et protectrice porte dans le temps même une part d'infini.

Celle qui conçoit et qui porte.

La maternité spirituelle de la femme inclut enfin un nouvel aspect du rôle joué par la femme dans la culture : comme mère, elle apparaît comme gardienne et protectrice des valeurs spirituelles. Dans son rôle maternel, la femme n'est plus, comme dans son rôle d'épouse, la dispensatrice d'une moitié de la réalité, qu'elle introduit dans l'œuvre culturelle de l'homme ; mais elle est celle qui conçoit cette œuvre en elle. Mais celle qui conçoit est aussi celle qui porte. Nous l'avons vu, la Bible loue la femme forte

tique sous les formes transmises par la période écoulée ; la femme qui fréquente le monde diplomatique, la femme qui voyage à l'étranger, a une tâche politique absolument naturelle à remplir ; elle peut l'accomplir pour le bien ou le dam de son peuple.

de veiller sur les biens de son mari, mais la femme étend le souci du patrimoine de l'homme jusqu'au domaine de sa vie spirituelle. Parce qu'elle reçoit et qu'elle porte, elle acquiert dans l'ordre culturel une extraordinaire importance : car donner ne serait rien si le don n'était pas reçu ! Il ne faut pas seulement créer la culture, il la faut porter, soigner, aimer comme un enfant ! Le soin de la culture est devenu une fonction publique reconnue et exercée par l'État, mais ce n'est là qu'un aspect, le plus extérieur et décoratif, des soins que la culture réclame ; ces soins doivent se parfaire à l'intérieur de l'homme, il faut que l'individu accorde à la culture amour et attention. La ligne de la maternité spirituelle recoupe encore une fois celle de la maternité physique : en apprenant à l'enfant les premiers sons de la langue, — de cette langue qui restera pour lui sacrée, sa vie durant, sous le nom de la langue maternelle, — en lui chantant les premières chansons de son peuple, en lui racontant ses légendes, la mère représente, dans la vie de son enfant, le premier et le plus décisif des facteurs de la culture, la toute première influence spirituelle. On ne peut en mesurer l'importance, non seulement pour l'enfant, mais aussi pour la culture. « La main qui meut le berceau meut le monde », dit un proverbe espagnol ; sans doute ce proverbe veut-il d'abord dire que tout ce qui vit et agit est né de la femme : la mère est la mère du héros et du saint, elle est aussi la mère du lâche et la mère du traître, — l'Antéchrist, quand il naîtra, aura beaucoup de mères ! Mais le sens en est le plus fort : cette main qui meut le monde, c'est la main qui continuera à guider invisiblement le fils à travers toute sa vie, et qui en secret accomplira son œuvre avec lui.

Partie liée.

Gardienne de la culture, la femme peut aussi en devenir la protectrice ; son rôle culturel est analogue à son rôle politique. La femme est conservatrice par nature ; pour parler sans pédanterie, elle est incapable de livrer à la destruction une chose en danger ; et cet instinct peut avoir, en des temps de révolution spirituelle, une énorme importance. Les époques révolutionnaires succombent facilement au danger d'abandonner en même temps des biens surannés et des biens intemporels. C'est alors la femme que sa maternité spirituelle désigne pour rétablir l'équilibre. La femme hors du temps est la gardienne des richesses intemporelles de son peuple !

Inversement, dans l'ordre naturel rien ne contribue davantage au déclin de la culture que la corruption, chez la femme, de la maternité spirituelle : à la gardienne de la culture s'oppose la dissipatrice de la culture. La femme qui ne fait qu'assouvir son appétit de jouissance, reste relativement inoffensive : cette femme qui, possédant les richesses de la culture, choyait et caressait jusqu'à l'adoration, mais sans les transmettre, ces valeurs à elle confiées, c'est un peu la sœur de la mère égoïste qui ne veut son enfant que pour elle. Elle ne révère plus ce pour quoi la culture est faite, elle respecte encore la culture elle-même. Mais la pente entraîne plus bas. La femme oublieuse de la féminité perd le sens de la maternité physique ; dans l'ordre de la culture, elle cesse d'être sensible à ce qui réclame vraiment un soin maternel. Elle incline dès lors vers l'art tapageur, brillant, « arrivé ». Cette tendance représente la manière propre à la femme de perdre la mesure des valeurs culturelles. Il y a une ligne ténue mais assurée, qui, à partir de débuts obscurs, inaperçus, voire méconnus et combattus, conduit aux vrais sommets, une ligne qui, à partir d'un temps, conduit la culture au-delà du temps. Il suffit de se reporter à l'histoire des grands hommes et à celle de leurs œuvres pour découvrir dans leur destin cette route invariable ; c'est la preuve manifeste que tout ce qui doit demeurer n'est pas lié à l'instant temporel et ne peut pas lui être lié. Les carrières d'un Hebbel, d'un Nietzsche, d'un Richard Wagner prennent ici valeur d'exemple — mais cet exemple illustre aussi l'importance culturelle de la femme maternelle : la femme hors du temps a partie liée avec tout ce qui dépasse le temps.

Mais elle a aussi partie liée avec l'éternel, — car toute culture prend son sens définitif au-delà d'elle-même. La femme maternelle n'accomplit sa fonction de gardienne de la culture qu'en gardant les valeurs religieuses ; on ne peut, au fond, rendre raison de cette fonction qu'en situant la mère elle-même dans l'ordre religieux.

Un portail sur deux mondes.

Dans la maternité physique, la vie et la mort sont toutes proches. Le fleuve infini des générations a sa source en l'éternité, et il s'y jette aussi : l'infini, c'est le frère terrestre de l'éternel. La « berceuse » de la légende bretonne fait entendre à l'oreille des marins en perdition les mêmes chansons dont leurs mères les berçaient. Cette évocation prend tout son sens avec la mort de la petite Sölvi, dans le roman *Ida Élisabeth.* « Elle crut — il s'agit de la mère — qu'elle avait déjà éprouvé cela lorsque elle avait mis au monde : à l'instant où l'enfant était sortie d'elle-même, la vague d'un océan monstrueux et sans limite l'avait submergée, et quelque chose s'était arraché, — mais quand le flot s'était retiré, il y avait là près d'elle un petit être tremblant et vagissant, comme s'ils avaient été tous deux jetés sur quelque rivage. La même vague venue de l'invisible éternité avait encore déferlé sur elle... et la douleur sauvage et déchirante qui avait jadis traversé son corps était peu de chose auprès de celle qui la torturait aujourd'hui. — Le flot se retirait encore, mais cette fois il avait emporté Sölvi. »

Le flot qui surgit de l'éternité et retourne à l'éternité, ouvre pour ainsi dire, à l'heure de la naissance, le sein maternel comme un portail sur deux mondes. Sortie de l'éternité invisible, la nature entre dans le monde visible du temps ; mais venir de l'éternité pour retourner à l'éternité, c'est, en termes religieux, venir de Dieu pour retourner à Dieu. A ce point nous quittons Ida Élisabeth. La puissance poétique de ce roman, et surtout son extraordinaire force de persuasion tiennent à ce que l'essence de la maternité universelle chez la femme s'y déduit de l'essence de la *nature* maternelle. Ce livre traduit pour ainsi dire sur un mode littéraire l'axiome théologique selon lequel la nature est le présupposé de la grâce, et la grâce n'est jamais en opposition, mais en continuité avec la nature, dont elle prolonge la ligne ascendante. *Ida Élisabeth* nous mène ainsi jusqu'au seuil de l'Église ; nous y sommes accueillis par une autre figure féminine de Sigrid Undset : Christine Lavransdatter.

L'Église au-devant de la mère.

Cette œuvre puissante se situe à l'entrée d'une période e bouleversement spirituel dont les proportions sont encore méconnues, et se sert précisément de la femme pour nous rendre conscients de ce bouleversement. Une femme, douée de toutes les forces, de toutes les ressources d'une féminité et d'une maternité de chair et de sang, est ici présentée face à notre temps sans racines, mêmes naturelles ; du même coup cette femme apparaît comme une accusation portée contre le déracinement religieux de notre temps : voilà ce qui donne à cette œuvre son importance symptomatique. Les deux premiers volumes, *La Couronne* et *La Femme,* sont remplis du bouillonnement de ces deux forces naturelles : le sang nordique et le destin, mais le troisième s'intitule *La Croix.* « Christine », c'est celle qui devient « chrétienne » : son destin nous fait parcourir tout le chemin qui, partant de la femme et de la mère prises dans leur vie naturelle, aboutit à cet être nouveau qu'est la mère chrétienne. Christine vient à l'Église, mais l'Église vient au-devant d'elle dans le domaine de la nature, en trouvant dans les lois naturelles de la vie maternelle les points d'insertion d'une vocation religieuse de femme et de mère.

L'Église rend hommage à la maternité physique. La messe de mariage multiplie les promesses relatives à la bénédiction d'une nombreuse descendance. « Puisses-tu voir les enfants de tes enfants. » Dans la maternité charnelle, l'Église voit la destination originelle et primordiale de la femme, elle voit même dans la femme la mère du peuple et des peuples. Les prières dont elle assistait autrefois la femme à ses heures de douleur ouvrent bien au-delà de la vie individuelle ces perspectives grandioses. « Que les nations se réjouissent et exultent, car la terre donne son fruit ! » A l'instant où la femme se retire dans la plus profonde obscurité, l'Église entonne sur elle l'hymne de louanges des nations, elle fait de celle que la douleur réduit au silence la Glorification du Dieu créateur ! Elle exprimait les mêmes pensées lors du sacre des reines, qui étaient ointes sous le cœur, à la place où la femme portera l'enfant.

L'exigence héroïque.

L'honneur que l'Église accorde à la femme en tant que la mère du peuple implique la conception héroïque que l'Église se fait de la mère. L'Église ne bénit aux noces que la femme qui se donne sans retour et qui veut pour toute sa vie et en toutes circonstances être fidèle à son mari. De même elle réclame de la mère le don total de sa vie pour son enfant. S'il faut, à l'heure de la naissance, choisir entre l'existence de la mère et celle de l'enfant, l'Église, plus héroïque que la morale du monde, exige que la mère sacrifie sa vie. Elle étend ainsi sa protection sur la nature qui veut continuer la race, alors que le monde moderne, nous l'avons déjà dit, a refusé de suivre la nature lorsque ses voies sont dangereuses. L'enfant, prisonnier du sein de sa mère, est doublement captif. Pour le délivrer, il faut que sa mère charnelle le mette au monde selon l'ordre naturel, il faut en outre que l'Église lui donne la vie surnaturelle. Car l'Église elle aussi est un principe maternel, elle l'est au sens spirituel et religieux. La femme qui, dans la douleur et au péril de sa vie, va mettre l'enfant au monde, et l'Église qui prie sur elle sont deux mères qui se regardent. La vie en soi, la succession illimitée des conceptions et des enfantements n'est pas la valeur suprême : la valeur suprême, le sens définitif sont le fait d'une vie plus haute. L'exigence héroïque que l'Église impose à la mère : mourir plutôt que de sacrifier l'enfant, est bien aux yeux de l'Église, la promesse de cette vie plus haute ; mais la nature elle-même approuve cette exigence, sa finalité est tout orientée vers la vie en devenir et non vers la vie achevée. On le voit bien quand la grossesse et la maladie se disputent les forces d'une femme. Chaque fois que la nature est laissée libre d'agir, chaque fois donc qu'on n'arrache pas l'enfant à la mère, l'enfant tire à lui les dernières forces de la mère — la nature sacrifie la mère à l'enfant ! Cette vie plus haute à laquelle l'Église subordonne ses exigences a pour correspondant dans l'ordre naturel la tendance mystérieuse à achever l'être naissant aux dépens mêmes de l'être achevé. Pour la mère, cela veut dire qu'elle préférera mourir à sacrifier son enfant. L'Église, en tant que mère, ne fait donc qu'exprimer ce que veut la créature en tant que mère, la créature animale comme la créature humaine. Le grand thème héroïque de la défense de l'enfant, qui se manifeste à l'heure décisive de la venue au monde, traduit un élan primitif de la nature dont la portée dépasse de loin la créature humaine. La lionne qui défend son petit en donne jusque dans le monde animal une expression sauvage et émouvante ! L'homme a beau élever toutes les objections de la raison et du sentiment, les exigences que l'Église impose à la mère ne font qu'élever au niveau de la conscience et de l'absolu l'instinct naturel de toutes les mères.

Comme un champ ensemencé.

Voilà pourquoi l'Église n'a pas marqué la mère, comme la vierge et l'épouse, par un acte spécial de consécration ; la bénédiction de la femme enceinte et celle des relevailles restent loin en dignité de la consécration des vierges ou même du sacrement de mariage, elles s'apparentent plutôt à la bénédiction que l'Église appelle sur les champs ensemencés. La naissance terrestre n'est, en effet, qu'un prélude. L'Église paraît ainsi déprécier la mère, mais c'est pour mieux faire ressortir sa vraie dignité — celle de la nature magnanime en son humilité infinie. La nature ne veut être que nature, et par là même elle appelle une surnature, selon ce qu'annonce le *Magnificat* : aux humbles la grâce est donnée ! La nature peut être farouche, elle n'est jamais égoïste, elle peut se cabrer sous la douleur, mais jamais dans l'orgueil ; farouche ou douloureuse, elle obéit encore à la loi du Créateur. Mais il faut que l'esprit se soumette à cette loi. Parce qu'elle s'abandonne à la nature, parce qu'elle s'abîme en elle, la mère qui va jusqu'à accepter la mort, pour donner malgré tout la vie à son enfant, participe à l'humilité même de la nature ; donnant à son enfant la vie de la terre, elle lui donne en même temps la condition préalable à la Rédemption ; la nature est le préambule de la grâce. Avec cette formule théologique, le thème de la défense de l'enfant atteint les couches profondes de la réalité. Il retentit comme l'écho infiniment lointain de l'antique malédiction jadis prononcée sur la femme. La sentence : *Tu enfanteras dans la douleur,* est étroitement liée à la promesse d'une descendance qui écrasera la tête du serpent. Dire que la nature est le préambule de la grâce, c'est dire que le nouveau-né est promis à une naissance plus haute.

Quand l'enfant est offert à Dieu.

Il y a donc tout de même un grand sacrement intrinsèquement coordonné à la vie maternelle ; seulement il n'est pas conféré à la mère, mais à l'enfant : c'est le baptême, qui est la seconde naissance. Le sein de l'Église qui reçoit l'enfant est le sein maternel où il naît à cette vie plus haute. A la mère de la terre il reste la douceur de ressembler au champ qui vient d'être béni : c'est bien la terre qui reçoit la bénédiction des moissons ; mais c'est le pain, tiré des épis, qui sera à l'autel le support du sacrement — et ce n'est pas le champ mais son fruit qui est visé. La mère selon la nature s'efface quand paraît la mère surnaturelle. Ce n'est pas la mère, mais la marraine qui assume au baptême les obligations maternelles de l'Église. Mais encore une fois l'effacement apparent de la mère ne fait que souligner la grandeur qui lui est propre : la même Église, qui surélevait l'instinct maternel de nature en imposant à la conscience la sauvegarde de l'enfant, confère aussi à l'effacement naturel de la mère son caractère religieux. Quand l'enfant est offert à Dieu, c'est tout le destin maternel qui est offert avec lui. La mère de l'enfant baptisé est fille de l'Église. Comme elle donne aujourd'hui son enfant à Dieu, elle-même fut jadis donnée. Unies dans leur commun destin, l'Église et la femme entonnent de concert le *Magnificat,* cet hymne triomphal à la miséricorde qui s'étend « de génération en génération ».

La seconde espérance.

La seconde naissance de l'enfant s'achève par son éducation religieuse. La femme dont la maternité physique participe à l'activité de la nature participe, comme mère chrétienne, à l'activité de l'Église. Dans l'éducation religieuse de l'enfant, l'Église use de la mère comme d'un membre de son corps, la mère agit comme un membre conscient de l'Église. Ainsi la mère de l'enfant baptisé jette encore une nouvelle lumière sur la nature, préambule de la grâce. Le processus naturel de l'attente de l'enfant se renouvelle sur le plan spirituel. C'est encore un même fleuve de vie qui traverse la mère et l'enfant, non plus dans la communauté de la chair mais dans celle de l'esprit, non plus par les forces du sang mais par celles de la vie spirituelle. Pour employer l'expression populaire, la femme est de nouveau « dans l'espérance ». Que signifie cette « espérance » ? L'enfant qui en est l'objet n'est pas formé *par* sa mère mais *de* sa mère. A l'heure de la conception, la femme ne prend pas mais reçoit ; elle ne peut pas davantage donner à ce qu'elle a reçu la forme qu'elle désire ou qu'elle veut ; elle ne peut que porter ce qui lui est confié. Quand elle porte, la femme met toutes ses forces à la disposition de l'enfant ; à lui donc d'en disposer. Mais ce qui est vrai du développement physique de l'enfant est vrai aussi de son développement spirituel : l'attitude de la mère chrétienne reste celle de l'espérance ; par l'éducation non plus elle ne peut former son enfant selon ses vœux, elle doit encore se contenter de soigner et de protéger ce qui lui a été confié. Ce qui lui a été confié, c'est, en termes religieux, l'image de Dieu dans l'homme en devenir ; l'enfant qu'en termes de nature la mère a conçu des œuvres du père, c'est, en termes religieux, l'enfant du Créateur. Dieu opère ; elle se contente de coopérer dans la crainte. Si déjà la maternité physique nous montrait dans la nature le préambule de la grâce, la maternité chrétienne, elle, nous y découvre la créature coopérant à l'œuvre propre de Dieu.

Comme est triple le Rosaire.

Et voici retrouvé le thème principal du dogme marial. La créature qui coopère, c'est la fille de la Femme éternelle, son image et la dépositaire de son *Fiat mihi.* L'attitude de la mère chrétienne à l'égard de son enfant est commandée par le fait qu'il est enfant de Dieu, son attitude à l'égard de son destin à elle est commandée par l'exemple de la vie de Marie.

La signification chrétienne de la vie naturelle est triple, comme est triple le Rosaire joyeux, douloureux et glorieux. Cette grande prière, à la fois populaire et, au sens de la plus haute spiritualité, contemplative, qui représente la vraie prière à Marie dans sa maternité, représente aussi la prière propre de la mère : le Rosaire est la chaîne qui lie la vie chrétienne de la mère à la Mère Éternelle. La femme qui prie rassemble en cette triple prière les mystères de sa propre maternité, et les joint, pour leur exaltation, au mystère de la Mère de toutes les mères. Car la mère de la terre, elle aussi, a reçu de Dieu son enfant, elle l'a par sa grâce porté et mis au monde ; comme Marie elle l'a présenté au Temple et offert à Dieu, et, comme Marie encore, elle l'a au Temple retrouvé.

Le Rosaire joyeux considère la vie propre de la mère, le Rosaire douloureux ne considère que la vie du Fils. Pas un mot n'y concerne la mère. La mère vit dans son enfant, les souffrances de son enfant sont contenues dans sa vie, comme dans l'*Ave Maria* les mystères douloureux. La mère ne pouvait former à son gré ni le corps ni l'âme de l'enfant, elle ne peut pas davantage en diriger le destin. L'enfant vient à l'être, elle ne fait que le protéger. C'est dire que tôt ou tard l'enfant s'en ira loin d'elle ; il faut qu'il s'en aille, pour conquérir cette double autonomie que toute vie comporte : celle de l'existence personnelle, celle de la mission. La mère vit dans l'enfant, mais l'enfant ne vit pas dans la mère ; au contraire tout destin maternel ne fait que répéter à l'infini les douleurs de l'enfantement. Donner la vie à un enfant, cela veut dire voir l'enfant se séparer de sa vie, et les douleurs de l'enfantement ne sont qu'un commencement. Pour toute mère viendra tôt ou tard l'heure où, comme Marie, elle s'en ira « dans l'angoisse à la recherche » de son enfant, viendra l'heure plus lourde encore où elle entendra sa réponse : « Qu'ai-je à faire avec toi ? » Cette « île des richesses » dont parle Ruth Schaumann dans son roman *Yves*, cette bienheureuse solitude de la mère avec l'enfant, il vient presque toujours une heure de la vie où elle n'est plus, pour la mère, que l'île de la solitude douloureuse. Aucune solitude n'est comparable à la solitude d'une mère, car ce n'est pas un être aimé mais distinct d'elle qui la quitte ; « le glaive qui transperce son âme » l'ampute de sa propre chair et la vide de son sang. Ainsi, tôt ou tard, en secret ou au grand jour, toute mère laisse transparaître le visage de la Mère des douleurs, l'image de la Pietà. Le livre du destin désigne de bien des manières cette souffrance des mères : c'est l'enfant qui suit, selon la loi de nature, son propre chemin, c'est l'éloignement tragique des générations, c'est enfin l'enfant perdu sans retour du fait du hasard, de la faute ou de la mort. Mais, en termes religieux, toutes les douleurs des mères ne portent qu'un seul nom : celui que Sigrid Undset a donné à la troisième partie de son roman, *La Croix*. Après avoir sacrifié à ses enfants jusqu'à son intimité avec le mari qu'elle aimait, Christine Lavransdatter finit ses jours complètement séparée de ses aînés ; le plus jeune, le préféré, meurt, elle-même meurt pour un enfant étranger. La mère douloureuse a achevé sa route.

La mort sépare l'enfant et la mère de la façon la plus radicale ; elle dresse la croix en face de l'amour maternel de la façon la plus évidente qui soit. Mais la mort de l'enfant fait également apparaître le sens proprement religieux de la séparation entre la mère et l'enfant. La mort fait resplendir ce sens comme une lumière éclatante à travers toutes les catégories du tragique maternel. De même qu'au principe de la douleur de Marie se trouvait l'œuvre rédemptrice de son Fils, de même c'est la destination divine de l'enfant qui explique toutes les souffrances des mères. Le Fils « présenté au Temple » est déjà le Fils « mort sur la Croix », mais le Fils « mort sur la croix » reste celui qui a été « retrouvé au Temple ». Si l'avant-dernier mystère du Rosaire joyeux annonce déjà le Rosaire douloureux, le dernier mystère du Rosaire douloureux retourne pour ainsi dire au Rosaire joyeux — mais pour le dépasser le Rosaire glorieux apporte la transfiguration. Le Fils monté aux cieux attire sa mère à lui. La séparation de l'enfant et de la mère, si l'on en comprend le sens religieux, si l'on comprend que c'est à Dieu qu'appartient l'enfant, implique qu'en Dieu aussi se fera la réunion définitive et irrévocable.

Avec les disciples à Jérusalem.

Cette réunion est double : le Christ monté aux cieux qui attire sa Mère à lui est aussi le Christ qui continue sa vie sur la terre. A la vie de Marie dans la gloire correspond la vie de Marie dans l'Église. En disant au Calvaire : « Voici ton fils, voici ta mère », le Sauveur mourant a désigné le disciple comme le fils spirituel de Marie et il a désigné Marie comme la mère spirituelle du disciple. Saint Jean représente ici l'ensemble des apôtres : tous ceux que les disciples du Seigneur baptiseront au nom du Christ seront aussi les enfants de Marie. A l'heure où Marie paraît avoir complètement achevé sa vie de mère du Christ, elle devient en réalité la mère commune des chrétiens. Et alors pour la deuxième fois la parole du Magnificat se réalise : « Désormais toutes les générations me proclameront bienheureuse ! » Marie ne sera plus nommée dans l'Évangile, mais les Actes des Apôtres nous la montreront dans l'attitude où la peindra plus tard le grand art chrétien de l'Occident, réunie avec les disciples à Jérusalem pour attendre l'effusion du Saint-Esprit. Marie, au pied de la Croix, avait réalisé pour la deuxième fois la parole du Magnificat ; au matin de la Pentecôte, pour la deuxième fois, elle est visitée par l'Esprit-Saint. La Mère du Christ devient la grande figure maternelle de l'Église-Mère.

Mais chaque femme est la fille de Marie ; il y a donc dans l'Église, à côté du sacerdoce et du témoignage de l'homme, porteur de la paternité spirituelle, une mission religieuse de la femme, une forme de l'apostolat chrétien qui est une mission maternelle. Et c'est cet apostolat qui réalise pour la femme, non seulement au sens définitif et éminent des mots mais au sens propre, cette parole du Sauveur : « Celui qui reçoit un enfant en mon nom me reçoit. » La vie de l'Église en tant que vie religieuse n'est autre que la vie du Christ venant à l'être dans les âmes. De même que l'image du globe terrestre devient, dans la coupole d'une cathédrale, une forme sacrale, ici encore la pensée religieuse s'empare des formes primitives de la réalité pour les sublimer. Nous avons vu l'amour miséricordieux de la femme qui donne à son enfant soins et protection s'élargir aux dimensions de la maternité universelle. Nous voyons maintenant cette maternité universelle, appelée au plus haut service du Christ venant à l'être dans les âmes. Au rayonnement de la « Mère de miséricorde » sur l'image de la femme, s'ajoute celui de la « Mère de la divine Grâce ».

L'Église ne pouvait confier le sacerdoce à la femme.

Si la maternité de la femme n'est marquée par aucune consécration spéciale, son apostolat ne l'est pas non plus. L'apostolat de la femme n'est qu'une part de l'apostolat des laïcs, dont tout chrétien est responsable. La mère ne se réalise jamais en elle-même mais en son enfant : ici encore le grand sacrement est réservé au fils, non à la mère. Mais c'est justement pourquoi la mission de la femme dans l'Église touche à l'essence de l'Église, constitue même une partie de cette essence : l'Église elle-même, considérée comme mère, est un principe qui n'agit pas seul — celui qui agit en elle, c'est le Christ.

C'est là la raison profonde pour laquelle l'Église n'a jamais pu confier le sacerdoce à la femme — c'était déjà pour la même raison que saint Paul exigeait que la femme se tînt voilée au service divin. L'Église ne pouvait pas confier le sacerdoce à la femme, car si elle l'avait fait, elle eût détruit la signification propre de la femme dans l'Église, elle eût même détruit une part de sa propre essence, celle dont la représentation symbolique est confiée à la femme. L'exigence de saint Paul n'est pas une règle morale liée aux conditions d'une époque, elle est une exigence que l'Église, affranchie du temps, impose à la femme que sa signification religieuse a mise hors du temps !

L'apostolat du silence.

Comme l'enfantement physique, l'enfantement religieux s'accomplit loin des regards. L'Église aussi peut dire d'elle-même la parole que Dieu répondit à Moïse : « Je ferai passer devant toi toute ma gloire et je publierai devant toi le nom de Yahweh. A qui je fais grâce, je fais grâce, et à qui je fais miséricorde, je fais miséricorde. — Mais personne ne peut contempler ma face ! » La vie proprement spirituelle de l'Église est une vie cachée ! C'est pourquoi jugent inévitablement à faux tous ceux qui entendent apprécier ou juger sur l'extérieur la vie religieuse dans l'Église, commettant la même absurdité que ceux qui voudraient que le scalpel trouve l'âme dans le corps. Nous disions que la mission maternelle de son apostolat fait toucher la femme au plus profond de l'essence de l'Église ; cela revient à dire qu'elle touche à son essence cachée : l'apostolat de la femme dans l'Église est d'abord l'apostolat du silence — au centre de toute réalité authentiquement sacrée il faut nécessairement mettre l'accent sur ce qui est le caractère religieux de la femme. L'apostolat du silence, cela veut dire : la vocation de la femme est d'abord d'incarner dans l'Église la vie cachée du Christ. La femme reste donc, dans l'accomplissement de sa mission religieuse, la fille de Marie.

On voit à quelle profondeur atteint l'apostolat maternel de la femme. Il fallait une époque égarée à la fois dans le domaine religieux et dans le domaine naturel, pour trouver dans ce type d'apostolat une diminution de la femme. Erreur qu'on n'a jamais pu réfuter en répliquant sans conviction que la femme a, ici ou là, agi et parlé dans l'Église ; car elle n'a jamais eu de part au domaine proprement sacré du sacerdoce ! Que l'appel immédiat de la grâce en des cas isolés, comme celui de sainte Catherine de Sienne, ait fait parfois rompre le silence de la femme dans l'Église, c'est là l'exception, non la règle. La règle, la voici : dans la vie de l'Église comme dans celle de la nature, il y a une puissance cachée, le sein maternel d'où viennent toutes choses.

Ici encore nous rencontrons une œuvre poétique exceptionnelle : *L'Annonce faite à Marie* de Paul Claudel décrit avec une profondeur presque effrayante la situation authentique de la femme dans l'Église.

Calice brisé.

L'œuvre de Claudel dans son ensemble se distingue des ouvrages contemporains, en ceci qu'elle n'est pas seulement marquée par les idées chrétiennes, mais qu'elle porte d'un bout à l'autre l'empreinte du Dogme. De là sa grandeur, de là aussi son isolement. Avec Violaine, la lépreuse, ressuscitant l'enfant mort de Mara, *L'Annonce faite à Marie* exprime symboliquement que la vie naît au plus profond des réalités religieuses. C'est après avoir offert à Dieu le *Fiat* de toute son existence, après avoir pris sur elle la hideuse maladie, objet de la répulsion universelle, que Violaine, « le calice brisé », devient digne de susciter cette nouvelle naissance. Dans le drame de Claudel, c'est bien l'homme qui agit dans l'Église, « je vous remercie, mon Dieu, s'écrie l'architecte Pierre de Craon, d'avoir fait de moi un père d'églises ». Car « l'homme est prêtre mais à la femme il a été donné d'être victime ». Le mystère de la maternité religieuse rejoint ici le mystère sacerdotal de la transsubstantiation. Le miracle accompli par Violaine reste d'abord caché, mais il a tout transformé — les yeux noirs de l'enfant deviennent clairs après la résurrection, comme l'étaient ceux de Violaine avant sa maladie ; il n'est pas jusqu'à Mara l'égoïste, Mara la têtue, de qui l'enfant tenait ses yeux noirs, qui ne trouve enfin le pardon et la consolation parce qu'elle est la sœur de Violaine. Les âmes sont changées : le miracle de Violaine s'accomplit en la nuit de Noël...

La mère inclut la vierge.

Être en rapport avec l'Église implique partout et toujours de participer à son universalité. Sous la croix, où Marie est devenue la mère en esprit de tous les chrétiens, n'est pas seulement présente la femme qui a offert à Dieu son enfant, mais encore la femme qui a offert à Dieu ou qui a consenti à lui offrir le désir ou l'espoir de la maternité. La mère du Christ naissant dans les âmes, c'est la mère qui joint les mains de l'enfant de sa chair pour sa première prière, mais c'est aussi la religieuse qui guide avec amour ses filles dans les voies de la vie religieuse. C'est Monique, la grande sainte des mères, qui a par la prière donné une seconde fois la vie à son fils, qui a fait d'Augustin saint Augustin. Mais c'est encore la sainte virginale, Catherine de Sienne, qui fut pour ses fils spirituels la « dolcissima mamma » ! c'est enfin la femme réduite à la solitude d'un lit d'hôpital, qui ne peut plus bercer que dans son âme le Christ naissant.

Être en rapport avec l'Église, disions-nous, implique toujours l'universalité. C'est ici, dans la sphère religieuse, que la mère devient réellement le type général ou tout simplement le type même de la vie féminine. Ce type général, comme tel, inclut aussi la vierge : tel est le sens absolu que prend dans l'Église la notion de mère. En ce sommet de la mission religieuse de la femme le cercle se referme : au-dessus de la femme hors du temps vient se peindre l'image de la Femme éternelle. L'idée religieuse de la maternité, dans l'Église, est indissolublement liée à l'idée de Celle qui est mère en étant vierge et vierge en étant mère.

Ce dogme marque la vie de chaque femme : parler d'un type général, c'est parler d'un devoir général. Dans la prière, c'est encore par la méditation du Rosaire que la femme oriente sa propre vie vers la vie de Marie. Prière adressée par les mères à la Mère, le Rosaire mène à la contemplation de chacun des mystères maternels de Marie par le chemin de salutations à la Vierge ; et chaque fois, la salutation à la Vierge introduit un mystère maternel. Le Rosaire s'élance du mystère de la mère vers le mystère de la vierge, et, par un mouvement inverse il revient au mystère de la mère. C'est à l'étroite alliance de ces deux mystères au sein du Rosaire douloureux que tient l'ineffable expression de la Pietà de Michel-Ange ! La bouleversante jeunesse de Marie, pourtant au bout de ses souffrances et rendant à Dieu son Fils mort y fait revivre la douce vierge du *fiat mihi*. Et si nous cherchons comment le mystère maternel et le mystère virginal s'allient dans l'esprit du Rosaire joyeux, regardons ce tableau de Tiepolo où sainte Rose de Lima reçoit des mains de la madone le Christ enfant.

Recomposer l'image éternelle.

Nous pouvons maintenant tenter d'esquisser dans son ensemble l'image chrétienne de la femme.

La femme selon l'idée chrétienne n'est pas la femme tout court, c'est la femme soumise aux grandes lois divines qui la régissent. Chacune de ces lois a sa valeur propre et complète, mais chacune aussi implique un rapport avec le commun modèle qui les inspire. La tâche de chaque femme dans la vie est d'abord de dissocier les virtualités de ce modèle, de le réaliser partiellement, dans la virginité ou dans la maternité. Mais cette tâche est aussi, en définitive, de recomposer dans son unité l'image éternelle : il faut que la vierge accède à la maternité spirituelle, comme il faut que la mère revienne à la virginité spirituelle. Si elle échoue dans cette alliance intime des contraires, il n'y a pas de salut pour elle, il n'y a pas non plus d'issue à ces deux tragédies, la tragédie de la virginité ou la tragédie de la maternité. Autant dire que le salut, pour toute femme, est indissolublement lié à l'acceptation de la mission de Marie comme il l'est à l'imitation de l'image de Marie. La femme ne peut recomposer, consciemment, l'image éternelle que dans l'attitude de l'*ancilla Domini*, que dans une constante disponibilité devant Dieu. Inconsciemment, ce sens et cette exigence absolus de l'image éternelle trouvent leur confirmation jusque dans le monde profane : même en dehors de la loi chrétienne, si la femme trouve l'équilibre propre de sa vie, si elle parvient à dénouer la tragédie de sa virginité ou de sa maternité, c'est qu'elle s'est inconsciemment rapprochée du modèle éternel.

Sur les frêles ossements.

Marie toutefois ne signifie pas seulement le salut de la femme, mais le salut par la femme. Si chaque vie de femme doit restaurer l'image éternelle, le monde, lui, doit retrouver cette image. Dans le drame de Claudel, le mal de Violaine est lié au péché originel — « O Violaine, ô femme par qui la tentation est venue », dit Pierre de Craon —, mais il est aussi lié au péché particulier de l'époque. Toute l'œuvre baigne dans l'ambiance apocalyptique de notre temps, évoquée par ce Moyen Age finissant dont les remous rappellent, quoiqu'ils ne les égalent pas, les troubles actuels. Or la nouvelle naissance de l'enfant mort transforme tout dans les âmes et, à partir des âmes, elle transforme aussi le monde. La nuit de Noël qui voit s'accomplir le miracle de Violaine est aussi la nuit où l'ordre terrestre est rénové, et cette coïncidence ne fait que manifester au dehors une transformation plus intime. Le roi qui va mettre un terme aux désordres qui déchirent la France est conduit au sacre par sainte Jeanne, sœur spirituelle de Violaine. Susciter des profondeurs de la vie *religieuse* une naissance, c'est, en définitive, faire renaître *la vie.* Nos pères le sentaient qui ne se contentaient pas de placer l'image de Marie dans leurs églises, mais qui l'érigeaient aussi sur leurs demeures, leurs hôtels de ville et leurs marchés.

De Violaine comme de sainte Jeanne, on peut dire ce que dit Pierre de Craon de la martyre Justitia : « Mais Justitia aussi n'était qu'une humble petite fille près de sa mère, jusqu'au jour où Dieu l'appela à la confession. » Toutes deux sortent de l'obscurité, toutes deux y rentrent : Violaine ouvre à Pierre de Craon la porte et il va son chemin dans le monde des grandes tâches, elle-même disparaît sous le voile de la lépreuse comme Jeanne sous le voile du bûcher. La cathédrale dont les frêles ossements de la petite Justitia soutiennent les voûtes puissantes c'est au « père d'églises » de la bâtir. L'œuvre de Jeanne, c'est aux hommes de son peuple de l'achever — Jeanne aussi n'a fait que leur ouvrir la porte. Le salut que la femme apporte la dépasse toujours ; accomplir ce salut et l'achever en ce monde, c'est la mission de l'homme.

L'annonce à toute créature.

Ainsi, avant de faire retour à l'image éternelle qu'il reflète, le dernier des trois types fondamentaux de la vie féminine nous apparaît encore une fois. Marie, Vierge et Mère, est aussi l'Épouse de l'Esprit : les grandes lignes du destin de la femme convergent de nouveau. Violaine, parce que vierge, restitue l'image de la mère ; elle participe donc à la fois au double aspect de l'épouse chrétienne. C'est l'enfant de l'homme qu'elle aima et qui lui fut destiné qu'elle rappelle à la vie mais elle rappelle à la vie parce qu'elle est l'épouse du Christ. Ainsi la culture attend, pour être renouvelée, que le visage de la femme, « moitié » de la réalité, redevienne visible sous les traits de l'homme créateur ; et semblablement le monde attend pour son salut qu'une ressemblance mariale réapparaisse sur les traits de l'homme... L'Annonce faite à Marie est au fond l'annonce faite à toute créature. Aux yeux de l'homme, l'épouse représente à la fois la vierge et la mère, elle représente aussi la Vierge-Mère, elle représente l'idée mariale dans la vie et dans l'œuvre de l'homme, elle la représente parce qu'elle s'offre comme la moitié de la réalité.

Nous pouvons conclure : la mission de la femme

va bien au-delà de la femme, elle atteint le mystère du monde. L'Annonce faite à Marie est l'annonce faite à toute créature, mais à la créature que Marie représente. La vocation mariale de la femme, qui est de restaurer l'image éternelle, s'achève en Marie elle-même dans la mesure où Marie représente la créature. — Marie tient alors la place de ses filles, mais ses filles aussi tiennent sa place. Dans le drame de Claudel, notre ciel d'apocalypse s'éclaire des lumières de l'Avent. C'est encore l'Avent, jusqu'à la venue du Seigneur, aux derniers jours ! Et nous connaîtrons toujours avant la plénitude du Christ l'annonce à Marie, avant la manifestation l'obscurité, avant la Rédemption l'humilité de l'acceptation, avant l'éclair qui vient de la nue, le *oui* de la créature.

TABLE DES MATIÈRES

ACHEVÉ D'IMPRIMER SUR LES PRESSES
DE L'IMPRIMERIE A. BONTEMPS, LIMOGES - FRANCE
D.L. 4-1968. — ÉD. 5.774. — IMPR. 21.592
IMPRIMÉ EN FRANCE

Couverture : Jacques Devillers